Under the editorship of
**WILLIAM C. HOLBROOK**
Hampden-Sydney College

**LAURENCE WYLIE**    HARVARD UNIVERSITY

THE RIVERSIDE PRESS · CAMBRIDGE

# VILLAGE EN VAUCLUSE

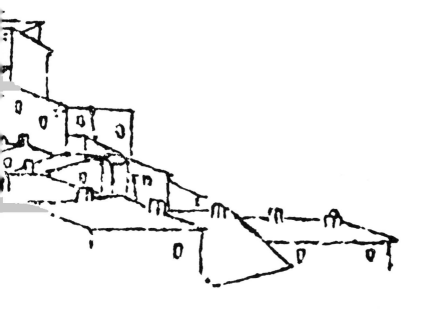

ARMAND BÉGUÉ    BROOKLYN COLLEGE

HOUGHTON MIFFLIN COMPANY · BOSTON

All but six of the photographs illustrating this
book were taken in Peyrane by Laurence Wylie.
Four are the work of Bernard Wolseley-
Wilmsen, and those from *Marius* are used by
permission of Thomas J. Brandon. *Marius* is a
Marcel Pagnol production, distributed by
Brandon Films.

1962 Impression
THE RIVERSIDE PRESS
CAMBRIDGE, MASSACHUSETTS
Printed in the U.S.A.

# TABLE DES MATIÈRES

*v*

# PRÉFACE

This book is the product of a bad conscience. For years I taught courses in French language and literature and claimed, with most colleagues, that by teaching French I was teaching an understanding of the French people. I think this claim was justified in a sense, and yet I always felt guilty because it seemed that the picture of the French people I presented to my classes was both incomplete and inaccurate. The source of information on which I depended was primarily literary, and although literature may mirror society, its image of society has been transformed. It is an artistic creation and rarely gives us an objective and comprehensive picture of life. The function of literature is aesthetic. Its social significance is and should remain secondary and indirect. Zola's peasants and shopkeepers share some of the ideas and values of farmers and shopkeepers in France today, it is true, but to present a story by Zola as a picture of France in 1960 is simply to misrepresent the facts.

But how could I give my students a valid picture of contemporary life? There were books, good books, about the châteaux of the Loire, about Parisian university life, about provincial folk customs, but nowhere could I find a book on how a group of French people live from day to day. Good novels depict the exception to the rule; I wanted the rule. There are, of course, bad novels that attempt to describe society exactly (and how many bad novels have students been required to read for the sake of the "cultural objective?"). Personally I prefer students to read either first-rate fiction or else out-and-out sociological studies. Unfortunately I could find no French sociological studies equivalent to *Middletown, Elmtown's Youth, Plainville, USA.*

Since I could not find the sort of book I wanted I decided — in good American fashion — to try to "do it myself." I took courses and studied informally but systematically in the fields of sociology, anthropology and psychology in order to learn the techniques that have been used by social scientists in making community studies. Most important, I had had twenty years' experience studying and teaching French history, literature and geography, and I had travelled through most of France. In 1950–51, with a grant from the Social Science Research Council, I lived with my wife and two sons in the village of Peyrane.*

The story of why we chose Peyrane among the thousands of communes of France is a long one, but it is essentially simple. Since there is such variety in France there was no hope of finding "*the* typical village," but I did hope to locate a community that might be the least *a*typical. In the choice of Peyrane I was fortunate. The more I have seen of other communities the more convinced I am that in 1950 Peyrane was indeed the sort of *village-témoin* I was seeking. This opinion is strengthened by French readers who have told me that life in Peyrane was very much like life in villages they have known.

France is not a static nation, however. "Tout passe. . . ." Especially in the last ten years there has been enormous change. In the spring of 1958 and again in the summer of 1959 I visited Peyrane to see how this change had affected my *village-témoin.* I have described the transformation in

* The name of the village is, of course, fictitious, as indeed are all the names of the people who inhabit it. This was my way of protecting the identity of our friends and neighbors.

the final chapter written especially for this edition so that students would realize that television and tractors have become an important feature in French rural life. Peyrane has gone modern like the rest of France, and this is an important point to make to Americans who still think of France as a quaint, old-fashioned country.

In the preparation of this edition I am impressed by the skill Professor Bégué has shown in cutting the text to one third its original length. It hurts to admit that one has been so longwinded that the essence of one's book can be stated even though two words out of three are cut! I must recognize, nevertheless, that M. Bégué has accomplished this task. Without oversimplifying ideas or omitting essential information he has turned the book into a French text that can be read with ease by the average student in an intermediate French course, and perhaps even by better students toward the end of their beginning course. Still I believe that if advanced students are interested in the subject matter of the book they will find the language sufficiently mature.

I am grateful to M. Bégué for easing my conscience. By making my account of life in Peyrane available for direct use in French classes, he has accomplished my original purpose of giving to students a picture of day-to-day life in a French community.

I should also like to express my gratitude to my friend, Bernard Wolseley-Wilmsen, for allowing me to reproduce four of his photographs of Peyrane, those on pages 27, 75, 157, and 173.

L. W.

*Harvard University*
*September, 1960*

VILLAGE EN VAUCLUSE

La France

# PEYRANE [1] ET SES ENVIRONS  1

A environ cinquante kilomètres d'Avignon,[3] en suivant vers l'est la route nationale 100, on arrive à un chemin goudronné qui monte doucement pendant cinq kilomètres vers le village de Peyrane. Peyrane se trouve à plus de 300 mètres d'altitude. Pas de chemin de fer. Un car vient d'Avignon 5 chaque semaine, mais il s'arrête en route à de nombreux villages. Un autre car, hebdomadaire aussi, relie Peyrane à la petite ville d'Apt,[4] à six kilomètres.

La traversée du département du Vaucluse, en car ou en voiture, permet au voyageur de voir à loisir le curieux dessin 10 formé par les rideaux d'arbres et les canaux qui, dans la vallée, séparent les petites fermes. Ce sont les fermiers du Vaucluse qui, pour adapter leur vie aux quatre éléments essentiels de la région: le soleil, l'eau, le vent et la montagne, ont ainsi découpé leurs champs. 15

[1] Village fictif: voir Préface.
[2] Un des 90 départements français. La France est divisée administrativement en départements, ayant chacun à leur tête un préfet, nommé par le Ministre de l'Intérieur à Paris; les bureaux de la préfecture se trouvent dans la ville la plus importante ou la plus ancienne du département: le chef-lieu du département.
[3] Chef-lieu du département du Vaucluse; sa population est d'environ 70.000 habitants.
[4] Petite ville d'environ 7000 habitants.

3

*Le soleil:*

La plus importante des ressources naturelles du Vaucluse est le soleil. Il y a ici parfois de grands froids et des années très humides, mais la plupart du temps le soleil y est si chaud que le maraîcher peut faire donner au même terrain onze récoltes de laitues par an. Les carottes et les choux y poussent toute l'année. Les choux-fleurs, le céleri, les épinards et les artichauts y viennent de septembre à mai. Dès la mi-avril, les petits pois, les asperges, les haricots verts, les pommes de terre nouvelles et les melons sont mûrs. Tôt au printemps, on y ramasse des tonnes de fraises. Tous ces produits sont expédiés par trains rapides vers les marchés des villes du nord, en France, en Allemagne, en Belgique et en

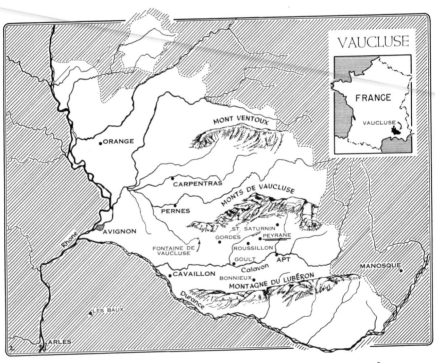

*Le Vaucluse*

4

*Peyrane — un village perché*

Grande Bretagne. Grâce au soleil, les jardins du Vaucluse sont parmi les meilleurs de France.

C'est le soleil qui fait du département du Vaucluse l'un des plus prospères de France: les gens n'y sont pas particulièrement riches, mais la richesse y est également distribuée, et la 5 plupart des fermes appartiennent à ceux qui les cultivent.

*L'eau:*

Pour profiter du soleil il faut résoudre le problème de l'eau. Ici il pleut très irrégulièrement. Hivers et étés sont secs. Mais au printemps et à l'automne, les pluies tombent avec 10 une telle violence qu'elles écrasent les moissons et provoquent l'érosion du sol; s'il grêle, les récoltes sont détruites.

**5**

Les paysans ont donc creusé tout un ensemble de canaux d'irrigation (avec les eaux de la Sorgue [5] et de la Durance [6]). Et maintenant la vallée reçoit régulièrement toute l'eau dont elle a besoin.

5      Sur les collines autour de Peyrane il y a évidemment peu de canaux d'irrigation. C'est regrettable, car le sol de Peyrane vaut presque celui de la vallée, et là-haut il y a toujours du soleil, tandis qu'en bas il y a souvent du brouillard.

*Le vent:*

10      Dans la vallée, les champs sont coupés par des haies et des cloisonnements de roseaux qui les protègent du mistral. Le mistral est le vent sec et froid qui souffle brutalement du nord à des vitesses de cinquante à quatre-vingts kilomètres à l'heure. Ce vent violent incline vers le sud tous les cyprès (que Van 15 Gogh [7] a trouvés si pittoresques) et tous les oliviers. Tout le monde craint le mistral, car il pénètre et se glisse partout. Stendhal [8], à Avignon le 14 juin 1837, écrit dans *Les Mémoires d'un touriste:*

> Un mistral furieux a repris depuis ce matin; c'est là le grand *draw-back* de tous les plaisirs que l'on peut rencontrer en Provence.[9] . .
> . . . Il n'y a pas quinze jours, qu'en passant le pont de Beaucaire,[10] la diligence a été obligée de se faire soutenir par huit hommes se pendant à des cordes attachées sur l'impériale. Elle avait la perspective de tomber dans le Rhône.[11] . .
> . . . Quand le mistral règne en Provence, on ne sait où

---

[5] Petit affluent du Rhône, long d'une trentaine de kilomètres.
[6] Affluent du Rhône, d'environ 300 kilomètres de long.
[7] Vincent Van Gogh, peintre né en Hollande (1853–1890).
[8] Écrivain français (1783–1842), auteur de *La Chartreuse de Parme* et *Le Rouge et le Noir.*
[9] Ancienne province, réunie à la France à la fin du 15ᵉ siècle; sa capitale est Aix-en-Provence.
[10] Petite ville de 10.000 habitants, dans le département voisin du Gard.
[11] Le Rhône prend sa source en Suisse et se termine par un delta; il a 812 kilomètres de long, dont 522 en France.

se réfugier: à la vérité, il fait un beau soleil, mais un vent froid et insupportable pénètre dans les appartements les mieux fermés. . .[12]

*La montagne:*

Entre les monts de Vaucluse et la montagne de Lubéron,[13] sur une largeur de cinq à dix kilomètres, s'étend le bassin d'Apt. Ces deux petites chaînes, au nord et au sud, sont peu élevées et très usées par l'érosion: leurs falaises fantastiques et leur  5 maigre végétation donnent au paysage un aspect particulièrement sauvage. Le lit d'une rivière desséchée coupe ce bassin d'est en ouest.

En traversant les vignes de la vallée on est frappé de compter si peu de villages. Et pourtant, perchés à trois ou quatre cents  10 mètres au-dessus de la route suivie, il y en a partout. Les pierres des maisons se confondent avec la roche de la montagne. Ces villages du Midi de la France, la première fois qu'on les voit, ont tous l'air identiques. Il y a presque toujours un petit château en haut de la colline, entouré de vieilles maisons  15 au toit de tuiles rouges. La partie neuve du village descend et s'étale sur le versant de la colline à l'abri du vent, parfois jusque dans la vallée elle-même. Dans certains villages la partie ancienne est en ruines et abandonnée.

### JOUR DE MARCHÉ A APT

En arrivant à Apt, l'une des sous-préfectures [14] du dé-  20 partement du Vaucluse, à six kilomètres de Peyrane, on ne voit pas à première vue ce qui caractérise cette petite ville. Pour comprendre son importance il faut y arriver le samedi, jour de marché.

Les éventaires des marchands emplissent toutes les places  25

---

[12] *Oeuvres complètes de Stendhal,* Mémoires d'un touriste, tome 1<sup>er</sup>, Paris, Champion, 1932, pp. 297 et 298.
[13] Petite chaîne de montagnes entre la Durance et la vallée d'Apt.
[14] Une des villes, dans chaque département, où réside un représentant du préfet, le sous-préfet.

de la ville. Et il y a tant de gens dans les rues et les boutiques qu'on se demande si tous les habitants de la région n'ont pas abandonné momentanément leur maison pour la petite ville. On n'y vient pas seulement en effet pour y acheter et pour y vendre, mais pour toutes sortes d'autres raisons.

Des notables et des fonctionnaires y viennent discuter de questions d'intérêt général. Les salles d'attente des médecins sont pleines de monde. Des spécialistes des maladies des yeux et des oreilles viennent d'Avignon pour leur consultation hebdomadaire. Dans les pharmacies il faut faire la queue derrière quinze ou vingt personnes pour obtenir l'ordonnance qu'on est venu y faire exécuter. Les cabinets des avocats sont pleins à craquer. Les notaires se retrouvent soit entre eux soit avec leurs clients au café que fréquentent aussi les maires et secrétaires de mairie des communes voisines.

Chaque café a en effet sa clientèle spécialisée. Les gens qui s'intéressent à la politique, ou aux coopératives, aux syndicats, à la chasse, aux courses cyclistes, ou au jeu de boules, savent à quel café il faut aller pour retrouver ceux qui partagent les mêmes intérêts ou veulent discuter des mêmes questions.

Pour les forgerons, pour les mécaniciens dans les garages, c'est le meilleur jour de la semaine. En quelques heures. les cordonniers, les réparateurs de montres et de pendules, les opticiens, les tailleurs, font autant d'affaires qu'en une semaine. Les amoureux viennent à Apt pour se voir. Ceux qui aiment boire avec des amis les y retrouvent. Certains y viennent tout simplement pour «la promenade». C'est le marché du samedi matin qui donne encore au bassin d'Apt sa vraie unité; mais cette unité s'affaiblit progressivement, car, aujourd'hui, on va de plus en plus facilement à Cavaillon,[15] ville plus moderne où passe le train.

Il y a naturellement certains aspects du marché qui attireront davantage l'étranger, le touriste. Ils rechercheront, par exemple, les paysans qui vendent des lièvres, des grives, de

[15] Ville de 14.000 habitants, située sur la Durance, à mi-chemin entre Avignon et Apt; gare importante de marchandises et gros marché.

8

*M. Ginoux, le maire*

l'essence de lavande, du miel de lavande, de la cire d'abeille.
Ils voudront goûter au pastis [16] et aux anchois avant de prendre
place dans le car de Peyrane.

#### DANS LE CAR DE PEYRANE

Les gens qui attendent déjà dans le car essaient de prendre
un air détaché, mais ils sont très curieux de savoir pourquoi un    5
étranger va à Peyrane. Cette curiosité se trouve satisfaite
après les premières présentations. Et les quatre personnes importantes de Peyrane qui se trouvent toujours dans le car de
midi le samedi font vite connaissance.

*Monsieur Rivet:*    10
Il y a le secrétaire de mairie, M. Rivet. Tous les samedis
il vient régler avec le maire quelques questions municipales.
Ils se rencontrent au café Arène. Le maire a en effet son com-
merce à Peyrane, mais il habite dans le petit village voisin de
Gargas. Et il ne vient à Peyrane que très rarement.    15

[16] «Anise-flavored drink» très populaire dans le Midi.

*Édouard Pascal, l'animateur*
*du Syndicat d'Initiative*

Le secrétaire de mairie est un personnage beaucoup plus important que le «town clerk» aux États-Unis, car c'est lui qui fait vraiment marcher les affaires de la commune. Rivet est de Marseille.[17] Pendant la guerre il a amené sa femme et
5 ses deux fils à Peyrane, à l'abri des bombardements allemands. A la campagne, il lui était aussi plus facile qu'à la ville de trouver de quoi manger pour sa famille. Pendant quelque temps il a fait marcher le restaurant du village, puis il s'est occupé (tâche beaucoup plus délicate) de diriger les affaires
10 de la commune.

*Édouard Pascal:*
Il y a aussi Édouard Pascal, l'intellectuel de Peyrane. A l'école il était assez brillant élève, et sa famille ayant quelque fortune, elle lui a fait continuer ses études à la ville, dans un
15 collège.[18] Malheureusement sa mauvaise santé ne lui a pas permis d'y rester longtemps. Et il est rentré définitivement à Peyrane deux ans plus tard. Il y fait marcher l'épicerie de sa

[17] Chef-lieu du département des Bouches-du-Rhône; la ville, fondée par une colonie grecque 600 ans avant Jésus-Christ, a aujourd'hui près de 700.000 habitants.
[18] Établissement d'enseignement secondaire dans une petite ville, préparant, comme le lycée dans une ville plus importante, aux épreuves du baccalauréat.

tante. Mais ce qui l'intéresse le plus c'est de faire connaître le charme et la beauté du village. Il a créé pour cela un *Syndicat d'initiative,* c'est-à-dire un bureau qui combine à la fois les efforts d'une agence touristique et d'une chambre de commerce pour mettre en valeur tout ce que Peyrane a à offrir. 5 Pascal va s'approvisionner à Apt chaque samedi. Ce qu'il achète pour son épicerie est chargé dans la petite remorque du car.

### Julien Vincent:

Le propriétaire de l'hôtel-restaurant de Peyrane, Julien 10 Vincent, va aussi tous les samedis s'approvisionner à Apt. M. Vincent aime bien dire, tout en plaisantant, qu'il est originaire de Lyon.[19] Car, selon un vieux cliché, les Lyonnais

[19] Chef-lieu du département du Rhône, ancienne capitale des Gaules, aujourd'hui grand centre industriel, avec une population de 475.000 habitants.

*Julien Vincent: Son restaurant figure en bonne place au Guide Michelin*

ont la réputation d'être de durs hommes d'affaires dépourvus d'humour. Vincent ne manque point d'humour, et c'est un excellent homme d'affaires. Dans toute la région son restaurant est un des mieux connus. Il figure en bonne place au *Guide*
5 *Michelin*,[20] et les gourmets y viennent de loin y déjeuner chaque dimanche. De plus, tous les jeudis soirs, M. Vincent joue au bridge avec trois des hommes les plus conservateurs et les plus influents du village, ce qui ne manque pas de rehausser beaucoup sa position dans le pays.

10 *François Favre:*

Bien qu'il soit l'un des hommes les plus occupés de la commune, François Favre sait trouver le temps d'aller à Apt. Il a un métier à temps complet: il est le facteur de Peyrane. Il a aussi deux autres petits métiers, capables l'un et l'autre
15 de l'occuper entièrement: il est le seul plombier et le seul électricien de la commune. Afin d'obtenir ses services, on le prie, on le supplie, on lui fait une véritable cour, qu'il s'agisse d'installer un compteur électrique, de changer des plombs ou de réparer un robinet ou une fuite d'eau. Faire venir d'Apt
20 un électricien ou un plombier coûterait cher, et donc François fait de son mieux pour rendre service. Mais il n'y a tout simplement pas assez de jours dans la semaine ni assez d'heures dans la journée pour qu'il puisse rendre service à tout le monde.

François va à Apt le samedi matin pour chercher les pièces
25 et les matériaux dont il aura besoin la semaine suivante. Et il y va aussi tout simplement «pour la promenade». Car il n'est pas insensible à l'ambiance du marché hebdomadaire. Il y rencontre beaucoup d'amis, et le nom de Favre étant un des plus répandus dans la région, il retrouve à Apt beaucoup de
30 parents plus ou moins éloignés.

---

[20] Ce livre, publié chaque année, est le guide le plus important de France: les restaurants et les hôtels qui réussissent à figurer sur la liste des établissements recommandés officiellement sont sûrs de recevoir une nombreuse clientèle.

**APT-PEYRANE**

Le car se met lentement en route, à travers une foule de gens, des autos, des cars, des vélos et des charrettes. Le klakson et quelques cris du conducteur finissent par ouvrir un passage dans la rue étroite et montante.

Pendant trois kilomètres, on suit la route nationale 100 sur laquelle on est venu d'Avignon. Puis le car prend un chemin qui grimpe au milieu de vignes, de champs de blé et de vergers. Bientôt il n'y a plus que des pins, dont la couleur vert-clair contraste étonnamment avec le bleu intense du ciel du Midi.

La route devient très sinueuse, et soudain, à un brusque tournant, on retient sa respiration à la vue d'étonnantes falaises d'ocre. Les pluies torrentielles, des orages, le mistral, ont sculpté des formes étranges dans ces falaises abruptes et colorées. Tout en haut de la colline, bordé sur trois côtés par des falaises hautes de plus de soixante mètres, est situé Peyrane-le-rouge.

C'est ainsi que, à cause de sa couleur, Peyrane se différencie d'abord des autres villages. Le *Syndicat d'initiative* — d'Édouard Pascal — a réussi à faire classer le village comme Site classe. Il faut désormais l'autorisation de la Commission départementale des Sites pour modifier l'architecture des maisons et la topographie des bois et des falaises. La beauté de Peyrane est ainsi reconnue officiellement. Ses habitants savent que Peyrane est beau, et ils en parlent avec fierté et admiration. Les enfants dessinent des maisons et des falaises d'un rouge à faire frémir le psychologue qui ne saurait pas que les falaises et les maisons tout autour sont vraiment rouges.

De temps en temps un car s'arrête, et des troupeaux de touristes se précipitent pour acheter des cartes postales, admirer la vue qu'on a du haut des falaises, et déjeuner chez Vincent. De nombreux peintres prennent comme sujets quelques aspects de Peyrane. L'ocre du village, le vert des arbres, le rouge des falaises se combinent avec le bleu du ciel et le soleil éclatant pour faire de Peyrane un village vraiment unique. Et pourtant, ses vraies caractéristiques sont ailleurs: dans la façon de vivre des gens qui habitent sur ces falaises.

## QUESTIONS

1. Pourquoi les champs et les jardins sont-ils entourés de rideaux d'arbres? 2. Pourquoi dans la vallée, des canaux séparent-ils les petites fermes les unes des autres? 3. Quelle est l'altitude, en pieds, de Peyrane? En mètres? 4. A quelle distance le village de Peyrane se trouve-t-il d'Avignon? 5. Dans quel département se trouve Peyrane? Dans quelle ancienne province? 6. Nommez six des légumes que l'on cultive à Peyrane. 7. Dans quels pays étrangers les produits agricoles du Vaucluse sont-ils expédiés? 8. D'où souffle le vent dominant, le mistral? Quelle sorte de vent est-ce?

9. Que vient-on faire au marché d'Apt, le samedi? 10. Pourquoi y a-t-il tant de gens à Apt le jour du marché? 11. Où se retrouve-t-on, à Apt, le samedi matin? 12. Que fait-on dans les cafés ce jour-là? 13. D'après la carte, page 4, à quelle distance approximative de Peyrane est Marseille?

14. Pour quelles raisons M. Rivet est-il venu à Peyrane pendant la guerre? 15. Qu'est-ce que c'est qu'un Syndicat d'initiative? 16. Que fait Édouard Pascal pour gagner sa vie? 17. A quoi s'intéresse-t-il surtout? 18. Quelle réputation ont les Lyonnais dans le monde des affaires? 19. Qu'est-ce que le Guide Michelin? 20. Quels sont les trois métiers de François Favre? 21. Pour quelles raisons François Favre va-t-il à Apt?

22. Pourquoi beaucoup de peintres essaient-ils de peindre Peyrane? 23. Pourquoi les dessins des enfants de Peyrane feraient-ils frémir un psychologue qui ne connaîtrait pas le village en question? 24. Expliquez le phénomène de l'érosion. 25. Décrivez brièvement un village typique du Midi de la France. 26. Où est située la ville de Lyon?

## TOUT CHANGE

Beaucoup des habitants actuels ne sont pas nés dans la commune. Ils viennent d'endroits variés: des villes ou villages voisins, ou d'Italie, ou d'Espagne; certains réfugiés d'Alsace et de Belgique se sont établis ici après la dernière guerre.

Les origines très variées de cette population rurale nous 5 surprennent, nous autres Américains, parce que nous nous imaginons, à tort, que le paysan européen cultive le même sol depuis que ses ancêtres ont cessé de vivre dans des cavernes. Et, quand on sait que l'on a découvert près de Peyrane des vestiges de l'époque paléolithique,[1] et qu'avant Jules César, 10 Romains et Barbares se sont battus au pied de la colline où Peyrane est maintenant perché, l'impression de continuité, d'ancienneté et de stabilité parfaite se trouve renforcée.

Cette impression est fausse. Peyrane change. Sa population change. L'érosion change même l'aspect des falaises. 15 Nous sommes ici dans un village ancien, c'est vrai, mais qui au cours du temps a subi des modifications profondes. Ainsi, pendant le 19e siècle seulement, trois Peyrane différents se sont succédé.

## AU 19e SIÈCLE

En 1801, les 1195 habitants vivaient complètement repliés 20

[1] Le commencement de l'Age de pierre.

*. . . des formes étranges sculptées dans ces falaises abruptes*

sur eux-mêmes, faute de routes et de communications avec le
monde extérieur. On y pratiquait un peu l'élevage des vers à
soie. Mais surtout on y cultivait et on y produisait ce qui
était nécessaire à la vie de tous les jours: blé, légumes, olives,
5 vin, miel, figues et amandes. Moutons et chèvres fournissaient
la laine, le lait, un peu de viande, et surtout les engrais nécessaires à la terre. Avec des méthodes primitives de culture, un
sol médiocre et un climat peu favorable au blé et aux oliviers,
le niveau de vie était alors assez bas.

10 En 1851, Peyrane a beaucoup changé. Les moyens de
transports se sont améliorés. Le village vend quelques-uns de
ses produits à l'extérieur; il peut donc acheter un peu hors
de la commune. On introduit aussi à ce moment-là la culture
de la garance — plante dont la racine sert à la fabrication d'une

teinture rouge pour uniformes militaires français et anglais — et l'élevage des vers à soie se développe beaucoup. Plus de famine à craindre. Les familles nombreuses se multiplient. Pendant dix ans le village continue de croître: on y construit trente-cinq nouvelles maisons, et il y a alors dans ce gros 5 bourg de 1861: deux meuniers, sept boulangers, trois épiciers, deux bouchers, deux tisserands, six tailleurs, cinq cordonniers. Il y a trois cafés. Il y a deux prêtres et trois religieuses.

Mais les grandes années sont passées. Coup sur coup plusieurs catastrophes s'abattent sur Peyrane, comme d'ailleurs 10 sur toute la région. D'abord une maladie décime les vers à soie. Puis, pendant l'hiver de 1870–1871, tous les oliviers gèlent. La même année, un produit chimique remplace la teinture qu'on extrayait de la racine de la garance. Et enfin, toujours cette même année de 1870, le phylloxera,[2] acciden- 15 tellement importé d'Amérique, détruit toutes les vignes de la commune.

En 1886, 79 des 349 maisons sont vides. 305 habitants ont quitté Peyrane, et ceux qui restent se contentent, comme cent ans plus tôt, d'élever des moutons et de semer du blé. 20

## AU 20e SIÈCLE

En 1901, les falaises jaunes et rouges — qui ont peut-être fourni de l'ocre aux Romains il y a deux mille ans — sont à nouveau exploitées, et sur une grande échelle. A la veille de 1914, Peyrane est le centre d'une petite industrie prospère. Mais encore une fois la prospérité ne dure pas. 25

Avec la guerre de 1914, les grandes exportations cessent et la production de l'ocre tombe à zéro: le village ne compte plus que 900 habitants.

En 1951, on peut dire que les trois Peyrane, de 1901, de 1851, et de 1801, ont totalement disparu. 30

Et cependant le Peyrane d'aujourd'hui est fait des trois Peyrane qui l'ont précédé. Les terrains, par exemple, ont à peu près les mêmes dimensions qu'en 1801. Un quart des

[2] Insecte qui dévore la vigne.

**17**

*La préparation de l'ocre: Il faut le faire*
*cuire au four pour lui donner un beau rouge*

18

fermes ont moins de dix hectares,[3] la moitié en ont de dix à vingt, et le dernier quart entre vingt et quarante. Il faut d'ailleurs ajouter que ces fermes ou propriétés ne sont pas, comme aux États-Unis, d'un seul tenant. Elles se trouvent divisées en plusieurs parcelles, parfois éloignées les unes des 5 autres, et séparées par d'autres parcelles qui appartiennent à d'autres gens. Les photos aériennes montrent clairement comment les terres arables sont morcelées en un réseau extraordinaire de petits champs aux formes irrégulières. Ce morcellement, longtemps sans grande importance, a aujourd'hui, avec 10 les machines agricoles, des effets désastreux sur le rendement général de l'agriculture.[4]

En 1851, à Peyrane et dans la campagne immédiate, il y avait 1484 habitants. En 1954 il y en a 713.

Du milieu du 19e siècle il reste quatre moulins à vent. Et 15 les falaises rouges et fantastiques sont à peu près les seuls vestiges des carrières d'autrefois, carrières abandonnées maintenant, où cependant on a récemment entrepris avec succès la culture des champignons.

### LES GUERRES

Ce sont bien entendu les deux guerres mondiales qui, au 20 cours des cent dernières années, ont surtout bouleversé la vie du village et transformé sa population. Pendant la Première Grande Guerre, trente-huit hommes de Peyrane ont été tués. La seconde a fait six morts, et quinze hommes ont passé, prisonniers, cinq ans en Allemagne. 25

Les répercussions sur le nombre des naissances et sur la vie économique ont été grandes, mais les répercussions psychologiques ont été plus grandes encore. Les gens m'ont souvent dit: «Pour étudier la vie chez nous, vous arrivez trop tard. C'est avant la guerre qu'il fallait venir. Maintenant tout 30 a bien changé. Avant, nous étions à l'aise. La vie était plus facile. On s'entendait mieux les uns avec les autres. Tous les

[3] Un hectare correspond à environ deux «acres» et demi.
[4] Voir le dernier chapitre et en particulier les pages 197 à 199.

samedis soirs il y avait bal. On allait se voir chez les uns et chez les autres, et on s'offrait un verre. Maintenant chacun reste chez soi. La guerre a tout changé.»

Il n'y a pas eu d'occupation allemande ou américaine. Pas de bombardement. Et cependant, d'après tous les récits, et d'après les incidents désagréables auxquels les gens font allusion mais qu'ils préfèrent ne pas raconter, il est clair que ces guerres, surtout la seconde, ont eu des effets désastreux sur les rapports sociaux.

Les denrées de toutes sortes sont devenues rares. L'argent de chacun et la valeur réelle de cet argent ont diminué. Il a souvent fallu acheter au marché noir, et, pour avoir l'argent nécessaire il a fallu trouver quelque chose à vendre au même marché noir. La loi était ainsi violée deux fois. Pour les gens de Peyrane ce n'est pas, d'habitude, très grave de violer une ou deux lois imposées par Paris. Mais tout de même ils étaient mal à l'aise à vivre ainsi constamment dans l'illégalité. Chacun devient vulnérable aux attaques des «autres», c'est-à-dire de tous les Peyranais. En temps normal, «les autres» sont gênants et ennuyeux, mais en pareilles circonstances, une simple dénonciation des «autres» peut causer la ruine d'une famille. En conséquence, pour se protéger des «autres» pendant cette période trouble, la famille a dû vivre aussi isolée que possible.

L'isolement et les secrets de chacun augmentaient les soupçons des «autres». Certaines questions devenaient de plus en plus épineuses. Pour quelques-uns Pétain était un héros, ou tout au moins un brave type qui faisait de son mieux pour le bien de la France. Pour d'autres, Pétain [5] était un criminel, ou l'instrument stupide des Allemands, et de Gaulle [6] était le

[5] Général et vainqueur de la longue bataille de Verdun (1916); Maréchal de France, puis Ministre de la guerre; puis, de 1940 à 1944, Chef de l'État Français, sous l'occupation allemande; condamné à mort à la Libération, le 15 août 1945, il a vu sa peine commuée en détention perpétuelle et il est mort en 1951.

[6] Général qui, de Londres, le 18 juin 1940, a radiodiffusé au monde que «la France a perdu une bataille, mais elle n'a pas perdu la guerre»; il a ensuite pris la direction de la France Libre; il est devenu le premier Président de la Cinquième République en janvier 1959.

*La tour de l'horloge*

héros. Pour certains, il était patriotique d'obéir aux lois de Vichy,[7] et pour d'autres, il était patriotique d'y désobéir.

### LE MAQUIS [8]

A cette atmosphère de privations, de méfiance et d'amertume, le maquis a ajouté un élément de violence. Mouvement de la Résistance, le maquis local était composé des jeunes gens de Peyrane et de quelques étrangers au village que Vichy poursuivait, ou qui cherchaient à ne pas être pris pour le travail obligatoire en Allemagne. Ils rôdaient la nuit dans la campagne, armés de mitraillettes, à la recherche de nourriture,

[7] Ville thermale, «spa», dans le Massif Central, où les bureaux du gouvernement Pétain se sont installés de 1940 à 1944.
[8] Synonyme ici de Résistance.

de tickets de rationnement et de tout ce qui pouvait permettre à leur groupe de résister à l'occupant allemand. La plupart des gens les approvisionnaient assez volontiers. Par la force les autres étaient contraints de donner une part convenable de ce
5 qu'ils possédaient. Ainsi donc, tout le monde à Peyrane n a pas été et n'est pas d'accord sur les mérites de la résistance clandestine. Pour les uns ceux du maquis étaient des bandits, et pour les autres un groupe de vrais patriotes.

Un homme de Peyrane, Lucien Bourdin, à son retour
10 d'Allemagne, et ne connaissant du maquis que ce que ses anciens camarades lui ont raconté, a porté un jugement assez juste: «J'ai grandi avec ces jeunes gens. Je sais ce que j'aurais fait si j'avais pu rester avec eux. La vérité, c'est qu'ils ont été tantôt des bandits et tantôt des héros. Cela dépendait des
15 circonstances.»

Ce qui est surprenant c'est qu'à Peyrane aucune vraie tragédie n'a éclaté. Dans plusieurs villages voisins il y a eu des dénonciations, suivies de représailles sérieuses: exécutions sur la place publique, bombardements, etc. A Peyrane rien de
20 semblable. Malgré toutes les menaces et les tensions constantes, personne n'a été tué ni par le maquis ni par les Allemands ni par la police de Vichy. C'est qu'on pense ici qu'à l'intérieur d'une même famille les querelles doivent rester une affaire de famille et ne jamais faire de tort à cette famille.

25 Bref, la guerre a non seulement modifié la vie économique du pays en mettant fin à l'extraction de l'ocre, mais elle a transformé profondément le climat psychologique du village. Un autre Peyrane est passé dans l'histoire.

### AUJOURD'HUI

De nos jours un nouveau Peyrane émerge lentement des
30 ruines de ces Peyrane disparus. Coopératives, méthodes modernes d'agriculture, meilleurs moyens de transports, modernisent en une certaine mesure toute la commune. Mais, outre que les ressources naturelles, le climat et le sol restent ce qu'ils sont, ce qui manque le plus aux gens du pays, c'est la confiance.

*Mais la famille continue!*

La dernière guerre a détruit la confiance mutuelle, et la peur d'une guerre prochaine ne favorise pas la confiance dans l'avenir. Lucien Bourdin, dont le père a été tué au cours de la Première Guerre Mondiale, et qui a passé cinq ans dans un camp de prisonniers, vous dira, par exemple, à propos de la 5 plantation d'abricotiers (qui donneraient certainement de belles récoltes, mais pas avant plusieurs années): «Pourquoi planter des vergers d'abricotiers?» (qui remplaceraient avantageusement les vignes). «Pour que les Russes ou les Américains viennent s'y livrer bataille? Merci. Pas si bêtes!» 10

Et, persuadés que leur sort ne dépend pas d'eux, mais des Américains et des Russes, les gens, simplement, ne plantent pas d'abricotiers. «C'est comme ça.» [9]

Ils vivent au jour le jour, suffisamment occupés d'ailleurs par toutes les difficultés qui, comme partout, font partie de la 15 vie de chaque famille. Les guerres viennent, causant morts et ruines. Les régimes politiques changent. Les gouvernements tombent. Mais la famille continue.

[9] Voir p. 191 la nouvelle philosophie des cultivateurs.

# QUESTIONS

1. Est-ce que tous les habitants de Peyrane sont nés dans le village? 2. Pourquoi, nous autres Américains, sommes-nous surpris des origines variées de cette population rurale? 3. Qui est Jules César?

4. Au début du 19e siècle, de quoi vivait-on dans le village? 5. Pourquoi le niveau de vie était-il bas dans la première moitié du 19e siècle? 6. Qu'est-ce que la garance? A quoi servait-elle? 7. Pourquoi les familles nombreuses se multiplient-elles au milieu du 19e siècle? 8. En quelle année le village a-t-il été le plus prospère? 9. Qu'est-ce que le phylloxera?

10. Pourquoi l'exploitation des carrières d'ocre s'arrête-t-elle en 1914? 11. Quelles sont les dimensions, en «acres», de la moitié des fermes? 12. Pourquoi le morcellement des terres a-t-il actuellement des conséquences désastreuses? 13. Pourquoi la motorisation et la mécanisation de cette commune n'est-elle pas facilement réalisable? 14. Combien d'habitants y a-t-il en 1954? 15. Quelle culture a-t-on entreprise récemment dans les carrières abandonnées?

16. Pourquoi le marché noir a-t-il rendu les Peyranais malheureux? 17. Pouvait-on se passer du marché noir? Pourquoi? 18. Quel est le mécanisme du marché noir? Quels en sont les divers aspects? 19. Comment les gens du maquis subsistaient-ils? 20. Dans la région de Peyrane, qui faisait partie du maquis?

21. Les gens de Peyrane ont-ils confiance dans l'avenir, en 1951? 22. Expliquez l'influence de la guerre sur ce petit village.

# L'ENFANT JUSQU'A QUATRE ANS 3

A Peyrane, pour la plupart des enfants, la naissance a lieu
à la maison, et non pas dans un hôpital (sauf si l'on craint une
intervention chirurgicale, ou bien s'il n'y a vraiment personne
à la maison pour prendre soin du bébé et de sa mère). On
sait très bien qu'il y a dans la région de bons hôpitaux et de   5
bonnes cliniques,[1] où vont les femmes de la ville; mais on est
persuadé à Peyrane que la mère et l'enfant seront toujours
mieux soignés et plus entourés par des membres de la famille
que par «des étrangers». Et, dans toutes les familles, une
naissance est toujours un événement particulièrement heureux.  10
    Si aucune complication ne suit l'accouchement, parentes et
amies, après s'être occupées d'abord de la mère, lavent et
emmaillotent soigneusement le bébé.[2] Les langes lui laissent
les bras libres, mais les jambes sont maintenues bien droites
et bien serrées.                                                15
    Pour nourrir le bébé, aucune difficulté n'est envisagée. La
mère compte bien s'en charger elle-même. Si, toutefois, elle
n'a pas assez de lait, l'allaitement au sein est complété par du
lait de chèvre, ou du lait de vache, ou encore, de plus en plus
souvent, par une formule de biberons.                           20

[1] L'hôpital est à peu près gratuit, en France, mais la clinique est
payante.
[2] L'emmaillotement, déconseillé ici discrètement par les institutrices,
se pratique de moins en moins. Il est intéressant de noter que les
psychiâtres américains parlent maintenant de l'heureux effet de l'emmaillotement.

Nourri au sein ou au biberon, le nourrisson n'est pas tenu à un horaire rigoureux. On le nourrit plutôt quand il semble avoir faim. Il en va de même pour le sommeil. Aucun horaire bien strict n'est suivi. En général donc, le bébé dort et s'ali-
5 mente un peu quand et comme il lui plaît. S'il pleure, on le change, et la mère lui offre le sein ou le biberon. S'il continue à pleurer, on le berce, dans son berceau ou dans les bras. On l'embrasse, et on lui parle beaucoup, comme pour le calmer.

S'il a mouillé ou sali sa couche, on le démmaillote, on
10 le nettoie, on change sa couche et on le remmaillote. A Peyrane, où toute la lessive se fait à la main, c'est toute une affaire d'avoir toujours à sa disposition les couches et les langes nécessaires. Et pourtant les bébés y sont tenus très propres.

A la maison, on n'accorde pas beaucoup d'attention au
15 bébé: on se contente de le nourrir et de le changer, ou bien de le soigner s'il est malade. Mais en promenade, c'est autre chose: on est heureux de le montrer, dans sa jolie voiture, aux

*On est heureux dans sa jolie voiture*

26

villageois qui, les uns après les autres, le prennent sur les genoux, le caressent, l'embrassent, lui chatouillent le menton et le ventre, et lui répètent en termes affectueux et enfantins combien il est beau et combien il est fort. Car les gens de Peyrane adorent les bébés. 5

### INSCRIPTION A LA MAIRIE ET BAPTÊME

Dans les trois jours qui suivent la naissance, le père passe à la mairie pour l'y faire inscrire sur le livret de famille et sur les registres de l'état civil. Formalité importante pour les années à venir, car il faut souvent dans la vie fournir un extrait de cet acte de naissance pour prouver son identité. 10

Puis, trois ou quatre semaines plus tard, par le baptême, le bébé devient membre de la grande famille religieuse. Quelles que soient les croyances des parents, tous les gens de Peyrane font baptiser leurs enfants.

Le jour du baptême, un dimanche de préférence, le parrain et la marraine, à la sortie de l'église, jettent quelques poignées de pièces de monnaie aux enfants du village qui sont 15

*Ce n'est pas souvent . . . qu'on jette des pièces de monnaie*

27

venus saluer le cortège aux cris de «vive le parrain, vive la
marraine».[3] Ce n'est pas souvent qu'à Peyrane des gens jettent
ainsi dans la rue quelques centaines de pièces d'un franc!
    En général, le père s'occupe peu du bébé. Il l'adore, il en
5 est fier, et il ne s'en cache pas. Mais c'est à la mère d'en prendre soin (à moins qu'elle ne travaille au dehors, auquel cas
elle fait appel à une grand-mère ou à une voisine). De toutes
façons, le bébé est traité avec beaucoup de tendresse et d'indul-
gence. Et les sœurs et frères plus âgés sont heureux de le
10 porter et de jouer avec lui.

## LES BONNES MANIÈRES

    Un peu plus tard, quand l'enfant est assez grand pour
marcher et pour dire: «s'il vous plaît, Monsieur», et «merci,
Madame», on lui offrira souvent des bonbons, mais à la condition expresse qu'il observe ponctuellement les règles, c'est-à-
15 dire qu'il dise bien distinctement et clairement: «s'il vous
plaît» et «merci», sans oublier: «Madame» et «Monsieur», et
sans omettre non plus de serrer la main de toutes les personnes
qu'il rencontre et qu'il quitte. Celui qui ne s'y soumet pas
n'est qu'un petit «mal élevé».
20     Nos fils n'ont pas eu de peine à se faire à la coutume de
manger des bonbons et des gâteaux à n'importe quelle heure
du jour. Mais la politesse rituelle qu'elle impliquait nécessaire-
ment leur a paru intolérable. Bien sûr, au début de notre
séjour, et avant qu'ils ne s'adaptent à la langue française, les
25 difficultés linguistiques qu'ils ont éprouvées n'ont pas facilité
les rapports. Mais la vraie cause de leurs ennuis est venue du
fait qu'ils n'avaient jamais auparavant été amenés à se conformer à la politesse rigoureuse et systématique des grandes
personnes. Que tout le monde cherchât à leur apprendre à
30 serrer la main les exaspérait le plus; et leur refus était pour
nous, parents américains, particulièrement gênant. Tandis
qu'à notre point de vue personnel nos garçons nous semblaient
tout à fait normaux, ici à Peyrane, et selon les standards des

[3] Jadis ils jetaient des dragées qui aujourd'hui coûteraient trop cher.

Peyranais (même des plus humbles) ils étaient sans aucun doute «des enfants mal élevés».

Marie Fratani, notre femme de ménage, a entrepris, de sa propre initiative, de leur apprendre la politesse. En arrivant chaque matin, et en repartant chaque midi, elle nous serrait 5 la main, à M^me Wylie et à moi-même; et malgré l'entêtement et l'hostilité des garçons, elle insistait pour leur serrer la main. Toujours aimable et souriante, elle attendait patiemment (leur prouvant qu'elle pouvait être encore plus obstinée qu'eux) que les enfants s'exécutent. 10

De même, d'autres gens de Peyrane, se sentant responsables de la politesse de tous les enfants du village, y compris les nôtres, ont agi comme Marie. Et peu à peu nos fils se sont soumis à ce code de la politesse tout comme ils ont accepté les diverses coutumes du village. Il faut ajouter aussi qu'ils 15 ont compris que pour obtenir gâteaux et bonbons il valait mieux être poli!

Lorsque l'enfant est assez grand pour prendre ses repas à la table familiale, on l'encourage vivement à manger tout ce qui se trouve dans son assiette, car, jeune, il doit apprendre à 20 ne pas gaspiller la nourriture. Il doit au moins y goûter. Et, s'il ne prend rien du tout, c'est qu'il est certainement malade, car un enfant bien portant a bon appétit.

C'est alors aussi qu'il doit apprendre les bonnes manières de table, parce que tout le monde pense qu'un enfant doit 25 savoir «se tenir à table comme il faut». Il doit s'asseoir droit sur sa chaise, poser ses poignets sur le bord de la table quand il ne se sert pas de ses mains pour manger. Les coudes ne doivent jamais être sur la table ni les mains sous la table. Il doit toujours dire: «s'il te plaît, papa; s'il te plaît, maman; 30 merci, papa; merci, maman». Sinon, les parents feront les sourds et attendront pour le servir qu'il se souvienne des rites traditionnels.

Enfin, la théorie et la coutume voudraient que l'enfant ne parle pas du tout à table; mais les parents de Peyrane ne sont 35 pas stricts là-dessus. Et l'enfant prend part à la conversation

*Un enfant sage sait jouer sans trop se salir*

générale, à condition cependant de ne jamais interrompre les grandes personnes.

LE JEU

Les enfants doivent aussi apprendre à jouer sans salir ou déchirer leurs vêtements. Ce qui n'est pas facile, dans un vil-
5 lage bâti sur des falaises, des falaises d'ocre dont le sable jaune est particulièrement salissant.

Ils doivent faire attention à ne pas abîmer leurs jouets. Pour une bonne raison, c'est qu'ils en ont peu.

Pour nos deux garçons nous avions apporté quelques-uns de leurs jouets habituels, et pour Noël nous en avions acheté d'autres. Notre maison est donc devenue un lieu de rencontre pour les enfants du voisinage, car ceux-ci n'avaient jamais disposé de tant de jouets et de livres pour enfants.    5
Au Premier de l'An,[4] chaque enfant de Peyrane en reçoit rarement plus d'un. Et bien que ce jouet ne semble pas toujours très solide, nous avons souvent été étonnés de voir les enfants s'amuser si bien avec ce jouet fragile et délicat, dont ils paraissent tirer beaucoup de plaisir. Ils n'ont pas besoin de 10 plusieurs jouets pour s'amuser admirablement. Ils le cassent très rarement. Si tout de même cela leur arrive, ils continuent philosophiquement de jouer avec le jouet brisé.

Les jouets durent peut-être plus longtemps à Peyrane parce que les enfants doivent apprendre à jouer ensemble sans 15 se battre. Lorsque deux enfants commencent à se battre, le premier adulte qui les voit les arrête immédiatement, et si ces grandes personnes sont de la famille, les deux enfants sont punis, et le plus souvent le jouet pour lequel ils se battaient est confisqué temporairement.    20

Mais si toute violence physique leur est interdite, par contre, ils crient, ils menacent et ils s'injurient très généreusement.

### ENDURCISSEMENT ET DISCIPLINE

Une autre leçon que le jeune Peyranais apprend de bonne heure est que la fatigue ne peut jamais servir d'excuse ou de 25 prétexte à ne pas faire ce que l'on doit faire. Dès qu'il est censé pouvoir marcher, personne n'envisage jamais plus de le porter. A moins qu'il ne soit blessé ou malade, lui-même sait qu'il ne peut pas se faire porter.

Par le froid ou la chaleur, les enfants de Peyrane doivent 30

---

[4] La veille de Noël, les jeunes enfants placent d'ordinaire une paire de chaussures devant la cheminée, et le Père Noël, à minuit, y dépose un jouet ou des bonbons. L'échange ou la distribution des cadeaux, «les étrennes», n'a lieu que le Jour de l'An, le premier jour de l'année.

montrer un certain courage. En hiver, par exemple, les jeunes enfants jouent dehors et par un vent très froid, le cou bien enveloppé, mais les genoux nus et bleuis par le froid.[5] Et au printemps, ils continuent, sans grommeler, à porter leurs
5 vêtements d'hiver: pantalons, chandails et cache-nez de laine.

Ils apprennent à veiller tard et à ne pas se plaindre quand ils ont sommeil. Certains parents les emmènent au cinéma, bien que les séances ne se terminent pas avant 11 h. ou 11 h. et demie, et aussi en visite, le soir, chez des amis. Le lendemain,
10 l'institutrice, en les voyant tomber endormis sur leur pupitre, saura que la veille la famille est allée au cinéma, ou bien qu'elle a célébré quelque anniversaire. Sans visite, ni cinéma, «le marchand de sable» passe normalement à 9 h.

### CONCLUSION

A quatre ans, l'enfant a déjà subi une certaine formation.
15 Chaque étape de son développement semble dépendre de ce que les gens ici nomment «la raison». C'est-à-dire ce qui, en gros, signifie son aptitude à comprendre ce que les grandes personnes lui disent. Les parents ont beaucoup de patience. Mais, une fois que dans un certain domaine l'enfant est con-
20 sidéré comme «raisonnable», on compte bien qu'il le restera. Et l'on est, désormais, de moins en moins indulgent pour lui.

D'ailleurs, et jusqu'à un certain point, l'enfant a accepté la discipline à laquelle il est soumis. Il est docile, stoïque, généralement poli avec ses aînés et les grandes personnes,
25 quelquefois insolent (mais seulement à distance). Il sait jouer sans trop se salir. Il se bat peu, mais possède déjà un riche vocabulaire d'injures. Il sort seul dans la rue. Il fait des courses et de petites besognes pour la famille et la maison. Si une petite sœur ou un petit frère vient au monde, il n'en est ni

---

[5] En effet, selon une coutume inexplicable, le cou, la tête et les oreilles sont toujours bien protégés du froid et de l'humidité (avec un foulard ou un cache-nez), mais les genoux sont largement découverts: les garçons, par exemple, portent des culottes courtes bien plus tard que les garçons américains du même âge.

troublé ni fâché. Il ne cherche plus à monopoliser l'attention de la famille, mais il s'occupe gentiment des plus jeunes que lui.

Les premiers fondements de la formation à l'intérieur de la famille sont posés, et l'enfant est désormais prêt à aller à l'école.


## QUESTIONS

1. Où ont lieu la plupart des accouchements? Pour quelles raisons? 2. Quelles raisons donne-t-on ici pour la défense de l'emmaillotement? 3. Si la mère n'a pas elle-même assez de lait, comment nourrit-elle son bébé? 4. Si le bébé pleure, que fait-on pour le calmer? 5. Comment se fait la lessive à Peyrane? 6. Comment les gens manifestent-ils leur affection pour le bébé en promenade?

7. Expliquez ce que sont les registres de l'état civil. 8. Qui doit aller à la mairie faire inscrire la naissance? 9. Quel jour le baptême a-t-il généralement lieu? 10. Combien de temps après la naissance l'enfant est-il baptisé? 11. En sortant de l'église, que font le parrain et la marraine?

12. En général, en quoi consistent les bonnes manières pour les enfants de Peyrane? 13. Quand dit-on qu'un enfant est «mal élevé»? 14. Décrivez ce que l'on considère ici les bonnes manières de table. 15. A quelle condition l'enfant peut-il prendre part à la conversation générale à table?

16. Pourquoi n'est-il pas facile pour ces enfants de jouer sans se salir? 17. Qu'appelle-t-on «étrennes»? 18. Comment les jeunes enfants s'endurcissent-ils au froid? A la chaleur? 19. Montrez que dès l'âge de quatre ans l'enfant a reçu, dans sa famille, une certaine formation. Laquelle? Et comment?

A L'ÉCOLE 4

## LES CLASSES ENFANTINES

Toutes les mères désirent envoyer leurs enfants à l'école aussitôt que possible. Ainsi leur responsabilité se trouve être partagée avec celle de l'institutrice [1] pendant au moins six
5 heures par jour.

Le grand événement, c'est-à-dire la première journée à l'école, a lieu au quatrième anniversaire de l'enfant.[2] Ce n'est pas une surprise pour lui. On en a beaucoup parlé en famille. On lui a acheté de grosses chaussures, de grosses chaussettes
10 de laine, une casquette neuve ou un béret, et une blouse. Sa mère lui a tricoté un gros cache-nez. Pour ses crayons, ses porte-plumes et ses cahiers, il reçoit un cartable.

Le premier jour, sa mère fait tout son possible pour l'accompagner. Si elle n'est pas libre, une sœur ou un frère plus
15 âgé se charge de le présenter à l'institutrice et d'apporter les papiers nécessaires: extrait de son acte de naissance, certificats de vaccination et d'inoculation antidiphtérique. L'institutrice l'accueille avec beaucoup de gentillesse. Elle l'embrasse, le prend dans ses bras et lui dit combien il va être heureux à
20 l'école. Si un peu plus tard, le même jour, il se met à pleurer, elle le prend sur ses genoux tout en continuant sa classe.

---

[1] A l'école primaire, le «teacher» s'appelle instituteur ou institutrice.
A l'école secondaire et à l'université, il s'appelle professeur.
[2] L'instruction n'est cependant obligatoire qu'à partir de l'âge de six ans.

L'ancienne école

A la récréation on s'amuse . . . mais sagement

Mais ces enfantillages ne durent pas longtemps. Le nouvel élève doit bientôt se soumettre aux règles que suivent tous les autres élèves. Trois heures le matin, trois heures l'après-midi, il doit rester assis à son pupitre, sans bouger et sans parler à 5 ses camarades, sauf pendant les deux récréations du matin et de l'après-midi, d'un quart d'heure chacune.

Officiellement, cette classe enfantine n'est qu'un Jardin d'enfants. De temps en temps l'institutrice leur apprend à copier des chiffres et des lettres; elle leur enseigne l'alphabet; 10 elle leur fait apprendre des poésies et des chants. Mais la plupart du temps, les enfants doivent s'amuser seuls, sans déranger les élèves plus âgés: avec du papier, des crayons de couleur et des cubes de bois. Et si parfois ils s'endorment un instant parce que la famille s'est couchée tard la veille, l'institutrice 15 déclare simplement: «Peu importe. Ces enfants n'ont rien d'essentiel à apprendre avant un an ou deux.»

Et pourtant, même à quatre ans, ils apprennent déjà plusieurs choses importantes. Ils apprennent la discipline de l'école. Ils apprennent en particulier une certaine méthode, 20 c'est-à-dire que pour savoir quelque chose, il leur faut d'abord copier et répéter ce que l'institutrice dit. Au lieu «d'exprimer leur personnalité», ils apprennent qu'il faut constamment la contrôler.

Quand nous sommes arrivés à Peyrane, notre aîné avait 25 presque cinq ans, c'est-à-dire qu'il était censé aller à l'école. M^{me} Girard, la directrice, m'a dit de faire comme il nous plairait, mais qu'elle serait très heureuse de l'avoir en classe.

Et, après avoir passé une année dans ces classes enfantines, Johnny Wylie a fait la remarque suivante: «Chez nous, 30 aux États-Unis, il fallait toujours jouer à quelque chose. Ici, c'est plus amusant; on apprend de vraies choses, des lettres et des chiffres!»

## LES PARENTS

Les parents croient fermement à la valeur de l'instruction. Ils estiment que leurs enfants doivent apprendre à lire et à

écrire, à faire de petits problèmes d'arithmétique, et savoir
un peu d'histoire, de science et de géographie. «On n'en sait
jamais trop», ont-ils coutume de dire. Et en tout ce qui concerne le travail scolaire ils collaborent toujours de tout cœur
avec les institutrices. L'enfant qui manque des classes, par 5
exemple, présente toujours une excuse sérieuse.

En fait, ils exigent de lui le meilleur travail possible. Et
si l'institutrice doit annoncer à certains parents que leur enfant
ne travaille pas de son mieux, le coupable a toute sa famille
contre lui. On lui dit qu'il fait honte à tous les siens. On le 10
prive de jeux et on lui donne du travail supplémentaire. On
exerce sur lui toutes sortes de pressions pour le forcer à atteindre le but que l'école et la maison lui ont assigné. Parfois
les parents vont trop loin et l'institutrice doit intervenir pour
éviter à l'enfant d'être surchargé de travail à la maison. Et ils 15
protestent s'ils trouvent que l'institutrice n'est pas assez sévère
ou exigeante.

Pour eux, la bonne conduite est également très importante.
Et si l'enfant est puni à l'école pour sa mauvaise conduite, il ne
peut espérer ni pitié ni sympathie à la maison. On n'écoute 20
même pas ses explications. «On fait ce qu'il faut faire, c'est
comme ça.»

D'autre part, la bonne institutrice sait qu'il faut agir avec
beaucoup de tact dans ses rapports avec les familles. Elle
doit être scrupuleusement juste. Il ne lui faut, en aucune 25
façon, risquer d'affaiblir l'autorité des parents. Elle ne doit
jamais prendre parti dans les querelles entre les familles.

Instituteurs et institutrices savent tout cela, et ils s'efforcent toujours, non seulement de ne pas blesser les familles,
mais bien de les flatter dans leur vanité. C'est en partie pour 30
cette raison que chaque année deux mois sont consacrés à
la préparation et à l'exécution de deux petites fêtes.

L'une se donne à Noël: les élèves y jouent, chantent et
dansent devant leurs parents aussi brillamment que possible.
Chaque enfant y tient le rôle qui le met le mieux en valeur,
et il reçoit en fin de soirée un cadeau que l'institutrice a personnellement choisi pour lui.

La seconde fête, à l'occasion de la Distribution solennelle des Prix [3], se prépare de la mi-juin à la mi-juillet [4]. Chaque élève y fait quelque chose. Il y reçoit aussi un prix — personne n'est oublié — pour son travail scolaire de l'année, afin surtout
5 de satisfaire la dignité de chaque famille.

### LES INSTITUTEURS

Si l'instituteur (ou l'institutrice) acquiert la réputation d'être consciencieux et capable de faire travailler ses élèves, si selon les parents, il est à la fois craint et aimé des enfants, s'il respecte l'honorabilité de chaque famille, s'il sait rester en
10 dehors des querelles des gens du village, sans tout de même passer pour «fier», s'il ne donne sujet à aucun commérage, il jouit alors d'une position privilégiée dans le village. Bien entendu, pour remplir toutes ces conditions il faudrait être un saint! Somme toute, l'instituteur a une position assez enviable.
15 Sur le plan social il vient immédiatement après le notaire.[5] D'autre part, il incarne l'instruction et la culture, très respectées dans le pays. Du point de vue économique enfin, on le respecte parce que son traitement est le plus élevé du village, parce que sa position est stable, et aussi parce qu'à sa retraite
20 il recevra une pension du gouvernement.[6] D'ailleurs, parfois, l'instituteur devient secrétaire de mairie, et dans ce poste il a souvent plus d'autorité et de responsabilité que le maire.

Beaucoup d'enfants de la campagne et de la petite bourgeoisie, qui font de bonnes études à l'école primaire, sont attirés
25 par cette profession. Profession, d'ailleurs, à laquelle on n'arrive pas facilement. Il faut réussir au baccalauréat, passer

[3] Dans toutes les écoles et dans tous les lycées, la Distribution des Prix est une réunion assez solennelle, fin juin ou début juillet, avec discours par un notable du département et lecture du palmarès (liste des meilleurs élèves dans toutes les matières). A l'école primaire tous les élèves reçoivent chacun un prix en manière d'encouragement.
[4] L'année scolaire se termine à l'école primaire la veille du 14 juillet.
[5] Le notaire est à la fois «legal consultant, attorney and solicitor»; il est beaucoup plus important qu'un «notary public», et sa position, à la ville comme à la campagne, est respectée et privilégiée.
[6] L'instituteur reçoit de l'Etat, c'est-à-dire du gouvernement, une pension raisonnable à l'âge de 55 ans et après 25 ans de services effectifs.

par une École normale d'instituteurs, faire deux ans de stage et passer toute une série d'examens écrits et oraux assez difficiles. Même s'il y a des postes vacants, le Ministère de l'Éducation Nationale, dont dépendent toutes les épreuves, maintient cet examen à un niveau élevé.      5

Il en résulte qu'à Peyrane — comme ailleurs — instituteurs et institutrices sont professionnellement très compétents.[7]

Malheureusement, ils ne s'intéressent pas toujours à la localité où ils exercent leurs fonctions. Ici, où nous ne trouvons que des institutrices — et pas d'instituteurs — elles ont  10 toutes les trois demandé à être nommées ailleurs. Et par conséquent, elles ne jouent pas à Peyrane le rôle qu'elles pourraient et devraient y tenir.

L'une des institutrices, divorcée, a une fille qui vit à Apt chez un oncle et une tante, et elle cherche un poste à la ville.  15 Une autre, dont le mari est employé de banque à Pertuis,[8] ne passe que deux nuits par semaine à Peyrane. Son mari vient la conduire et la chercher en moto plusieurs fois par semaine. Elle ne peut évidemment pas s'intéresser beaucoup à Peyrane. La directrice, qui a épousé le fils du garde-champêtre de la  20 commune, aurait pu se fixer peut-être ici, mais le mari, après avoir suivi des cours par correspondance pendant six ans, espère travailler comme mécano dans un garage, ou même peut-être obtenir un poste dans une école technique, ce qui bien sûr vaudra mieux que de conduire un camion dans les  25 carrières d'ocre du pays.

Bien que ces institutrices ne s'intéressent guère à la vie même du village, elles s'attachent réellement à leur école et à leurs élèves. Elles ont vraiment la vocation de l'enseignement. Elles se consacrent aux enfants de Peyrane comme elles se  30 consacreraient aux enfants de n'importe quelle autre école, et elles remplissent consciencieusement toutes leurs fonctions. Supérieurs hiérarchiques, élèves et parents d'élèves les considèrent comme de bonnes institutrices.

[7] En 1959, il y a environ 80.000 écoles primaires, sept millions d'élèves, 70.000 instituteurs et 130.000 institutrices titulaires (with tenure).
[8] Petite ville, sur la Durance, à environ 30 km. de Peyrane.

Elles n'échappent point, naturellement, aux critiques des gens du village. Personne ne peut habiter à Peyrane et en être exempt. On leur reproche, par exemple, d'avoir la vie facile, d'être bien payées, d'avoir des vacances trop longues en
5 été, beaucoup de jours de congé en cours d'année, et de ne travailler vraiment que trente heures par semaine dans la salle de classe! Mais, bien entendu, aucun parent ne voudrait vraiment se trouver à leur place.

### UNE JOURNÉE A L'ÉCOLE DE PEYRANE

A 8 heures, la cour de l'école commence à se remplir. Ceux
10 qui habitent le plus loin arrivent avant ceux qui habitent au village, car au village on se lève plus tard que dans les fermes.

A 8 h. 30, au coup de sifflet de la directrice, les élèves forment trois files devant les trois portes.[9] Quand l'ordre et le silence sont établis, ils entrent dans leur salle de classe res-
15 pective, et ils s'installent à leur pupitre.

La journée commence par la leçon de morale. L'institutrice lit un conte ou raconte une histoire d'où elle tire la leçon qui peut se résumer en une phrase qu'on répète ensemble et qu'on apprend par cœur. Le but de ces leçons de morale est
20 d'amener

> les élèves à la pratique raisonnée des principales vertus individuelles et sociales (tempérance, sincérité, modestie, bonté, courage, tolérance) et à leur inspirer l'amour du travail, le goût de la coopération, l'esprit d'équipe, le respect de la parole donnée, la compréhension d'autrui, l'amour du sol natal, les devoirs envers la famille et envers la Patrie.[10]

Ces leçons sont faciles quand elles touchent à la famille et aux obligations familiales. Mais quand elles touchent à l'esprit de coopération et d'équipe, qualités peu communes chez les

[9] Dans d'autres écoles on se sert d'une cloche, ou d'une sonnerie électrique, ou encore tout simplement, les maîtres et les maîtresses frappent dans leurs mains.
[10] *Livre des Instituteurs,* 19ᵉ édition (Paris, Le Soudier, 1948), p. 161.

gens de Peyrane, elles présentent quelques difficultés. «Soyons les amis et les protecteurs des petits oiseaux» est par exemple, une de ces phrases apprises par cœur. Dans un pays où un chasseur robuste se vante de manger jusqu'à cinquante fauvettes à son repas, il est peu probable que cette leçon de morale ait 5 le moindre effet sur les enfants!

Puis viennent les autres matières au programme. Et à 10 h., récréation de quinze minutes, pendant laquelle les enfants jouent dans la cour à leur gré, pourvu qu'ils ne se salissent pas et ne se battent pas. 10

Vers 11 h. 30, après le départ des deux grandes classes, la classe des petits se met en rang, deux par deux, un garçon et une fille se donnant la main, et ils attendent le signal de la maîtresse: «Avancez.» Alors les petits crient tous ensemble: «'Voir, Madame»,[11] et enfin libres, ils se précipitent dans la 15 rue. La plupart d'entre eux rentrent directement chez eux, car ils ont des courses à faire avant le déjeuner: aller chercher du pain frais chez le boulanger, une bouteille de vin chez l'épicier ou au café, s'occuper d'un petit frère pendant que la mère finit de préparer le repas. 20

Pour ceux qui sont restés à l'école pour le déjeuner, parce qu'ils habitent trop loin ou parce que leur mère travaille, un solide repas a été préparé par la cantine: on y sert trois plats dont une soupe épaisse, du ragoût ou des pâtes, et comme dessert, de la confiture ou une compote de fruits. Chacun a ap- 25 porté un gros morceau de pain. Les enfants aiment beaucoup déjeuner ensemble à l'école.

Pendant le repas, ils doivent se tenir bien droits et bien assis sur leur chaise, les deux poignets bien posés sur le bord de la table. Ils mangent dans un silence absolu, et ils ne doivent 30 rien laisser dans leur assiette — car il ne faut pas gaspiller la nourriture. Une récréation jusqu'à 1 h. suit le déjeuner rapidement terminé.

L'après-midi se déroule à peu près comme la matinée, coupé également d'une récréation d'un quart d'heure. 35

[11] Abréviation familière pour «au revoir».

*Les enfants aiment beaucoup déjeuner ensemble à l'école*

A 4 h., tout est fini pour les élèves, sauf pour cinq ou six d'entre eux qui doivent refaire quelque devoir mal fait, ou qui sont punis pour leur mauvaise conduite.

C'est alors l'heure du goûter. Comme on ne dîne pas
5 avant 8 ou 9 h., le goûter consiste pour la plupart des enfants du village en un gros morceau de pain et quelques barres de chocolat, ou bien un peu de fromage: et ils vont le manger en bande dans la rue.

Après le goûter, les petits font ce qu'ils veulent, mais les
10 plus grands doivent aider la famille: transporter du bois de chauffage, chercher de l'herbe pour les lapins, cueillir des feuilles de mûrier pour les vers à soie, et faire bien d'autres petits travaux du même genre. Les filles aînées doivent s'occu-

per des petits frères et petites sœurs. Et enfin, il y a aussi les
devoirs à faire et les leçons à apprendre pour le lendemain.
Pour ceux qui habitent la campagne, le temps nécessaire
pour parcourir à pied deux ou trois kilomètres représente à
peu près le seul moment où ils ne sont pas sous la surveillance 5
des grandes personnes et où ils peuvent jouer un peu. Car,
après un substantiel goûter, il y a beaucoup de petits travaux
à faire pour la famille: outre le bois et l'herbe, il y a les moutons à garder, à ramener à la ferme . . . etc. Et, c'est aussi
à ce moment-là qu'il faut faire les devoirs et apprendre les 10
leçons du lendemain, car, après le dîner — pris très tard — il
faut aller se coucher.
A toute cette vie assez dure l'enfant de quatre ans doit
s'accoutumer rapidement et sans se plaindre. Il comprend vite
que personne n'écouterait ses plaintes. Il se rend compte peu 15
à peu que la vie a des côtés pénibles, et qu'il faut les surmonter.
On lui dit qu'il est assez grand pour faire comme ses aînés. Il
devient stoïque, et fier d'être considéré comme assez «grand»
et assez raisonnable pour se résigner à l'inévitable, il accepte
son sort sans paraître malheureux le moins du monde. Cette 20
vie durera dix ans.

### PROGRAMMES SCOLAIRES

Buts à atteindre, matières à enseigner, méthodes à suivre,
horaires précis, tout ce qui concerne la marche et l'administration de toutes les écoles publiques de France est réglé par les
bureaux du Ministère de l'Éducation Nationale à Paris.[12] 25
A première vue, il semble que tout soit prévu dans les
plus petits détails par les hauts fonctionnaires parisiens. En
fait, les instructions ministérielles ne sont pas prises à la lettre.
Elles servent seulement, dans la pratique, à fixer les rapports
relatifs des différentes matières, et à préciser les grands prin- 30

[12] Administrativement, la France est divisée en 17 Académies, ayant
chacune à sa tête un «recteur», qui transmet les instructions et directives du Directeur Général de l'Enseignement Primaire à Paris. Des
Inspecteurs vont périodiquement d'école en école et de classe en
classe pour s'assurer que directives et instructions sont bien appliquées.

cipes de la méthode à suivre. A Peyrane, par exemple, les institutrices reconnaissent que la lecture est plus importante pour leurs élèves que le chant choral. Et si elles consacrent à la lecture le temps officiellement alloué au chant choral, 5 personne ne protestera, et elles le savent bien.

La plupart des Inspecteurs ne désapprouvent pas cette attitude souple et raisonnable. L'un deux disait aux institutrices de Peyrane, après leur avoir longuement expliqué un nouveau règlement compliqué: «Voilà ce que dit le règlement, et 10 je suis sûr que vous le comprenez. Officieusement bien sûr, j'ajouterai que personne ne fera d'objection si en l'occurrence vous agissez selon votre propre jugement.»

Bien que les directives officielles du Ministère de l'Éducation Nationale soient longues et complexes, on peut en saisir 15 les grandes lignes en observant ce qui se passe ici. Les élèves sont groupés en classes: de 4 à 6 ans, *Classes enfantines* ou Jardin d'enfant; de 6 à 7 ans, *Section préparatoire;* de 7 à 9 ans, *Cours élémentaire;* de 9 à 11 ans, *Cours moyen;* de 12 à 14 ans, *Classe de fin d'études.* Avec quelques variantes d'année 20 en année, on peut dire que la moitié de l'horaire est consacrée à l'écriture et à la lecture. L'arithmétique, l'histoire, la géographie et la leçon de choses [13] se partagent le reste du temps.

Et ainsi, quand à 14 ans, l'enfant quitte l'école, il a appris à peu près ce que ses parents voulaient qu'il sache. Il sait lire 25 sans peine. Il peut écrire sans faire trop de fautes de grammaire. Il sait résoudre beaucoup de problèmes d'arithmétique pratique. Et il sait assez d'histoire, de géographie et de sciences pour comprendre quels sont ses propres rapports avec le milieu où il vit, et connaître les valeurs morales de la société qui 30 l'entoure.

Il est bien évident que les enfants de Peyrane apprennent beaucoup plus de choses que les programmes officiels ne le font supposer. L'attitude des institutrices, la présentation du travail, les livres scolaires utilisés, enseignent aux enfants des

[13] «Practical science.» Exemple: pour étudier la pression atmosphérique, les élèves font des relevés barométriques en haut et en bas des falaises du village.

faits fondamentaux sur l'essence même de la réalité. Ces faits
n'apparaissent pas dans les directives ministérielles. L'Inspecteur primaire ne les prescrit pas. Les institutrices n'en parlent
jamais en classe, même si elles en sont conscientes. Et pourtant ce point de vue est si important qu'il va, dans une cer- 5
taine mesure, déterminer l'état d'esprit et la manière selon
lesquels l'enfant va chaque jour de sa vie considérer toutes
les questions à résoudre.

### MÉTHODE SUIVIE

Pour enseigner la morale, la grammaire, l'arithmétique et
les sciences, l'institutrice procède toujours de la même façon. 10
Elle présente tout d'abord un principe ou une règle, que l'élève
doit apprendre par cœur. Puis, plusieurs illustrations ou exemples concrets de ce principe sont étudiés ou résolus à la
lumière de ce principe, jusqu'à ce que l'enfant soit capable de
reconnaître que le principe abstrait est toujours impliqué 15
dans le fait concret de tous les jours, et que le fait concret im-
plique toujours un principe abstrait.

Ce rapport clairement établi, l'institutrice passe à un
autre principe et aux faits concrets qui à la fois en découlent
et le commandent. 20

Les principes ne sont jamais mis en doute. Pas plus que
les faits concrets. On ne peut que les reconnaître et les accepter, mais ensuite il faut établir les rapports qui les lient entre
eux.

Un autre point de vue fondamental apparaît dans la 25
façon d'étudier l'histoire, le civisme, la géographie et la littérature.

En histoire, on commence par apprendre par cœur les
grandes lignes d'un tableau général, le cadre dans lequel il
s'agit ensuite de voir comment les faits historiques s'intègrent. 30
Un fait isolé n'a d'importance que s'il peut être rapproché
d'autres faits historiques et surtout si l'on voit bien sa place
dans tout l'ensemble.

En géographie, on explique d'abord à l'enfant son petit

pays, puis la région environnante, puis la France, puis le monde. Et toujours on insiste sur les rapports entre les diverses parties de cet ensemble.

Dans l'étude rudimentaire de la littérature on insiste de
5 même sur les rapports à découvrir entre chacune des parties et le tout qu'elles forment. Le passage est analysé, disséqué. Ce que l'auteur a voulu faire ou dire dans chacune des divisions logiques de l'ensemble est soigneusement expliqué. Les expressions ou les mots obscurs ou difficiles sont étudiés. Et ce
10 n'est que lorsque toutes les diverses parties et leurs rapports mutuels ont été parfaitement compris que l'on s'efforce alors seulement d'évaluer l'ensemble du passage et l'unité qu'il forme.

Ainsi l'enfant en vient à saisir que tout fait, tout phé-
15 nomène, tout individu fait partie intégrante d'un ensemble formant un tout bien composé.

Enfin, on part de cet autre principe général, que toute connaissance ne vaut que si elle se rapporte aux êtres humains. On ne pousse ni à l'étude pour l'amour de l'étude ni à l'ac-
20 cumulation des connaissances sans utilité pratique.

En arithmétique et en géométrie, par exemple, il est clair qu'on n'étudie que les lois et on ne pose que les problèmes qui peuvent préparer les élèves à résoudre plus tard dans la vie les problèmes pratiques qui se présenteront à eux.

25 En sciences naturelles, les enfants ne collectionnent pas les papillons, ils n'apprennent pas à reconnaître les oiseaux, ils n'étudient pas les différentes roches, simplement pour savoir faire des classements. Un oiseau est intéressant parce qu'il est bon à manger, ou parce qu'il est nuisible, ou parce
30 qu'il détruit des insectes nuisibles, ou parce qu'il a de belles plumes, ou encore parce qu'il chante.

De même la géographie n'est pas la somme des chefs-lieux des départements français. La géographie est l'étude des rapports réels entre les gens de Peyrane et le monde en-
35 vironnant.

L'étude de la grammaire tient une très grande place. Car les Français estiment qu'on ne peut s'exprimer convenablement que si on la connaît bien, et ils jugent souvent les autres selon leur façon de parler et d'écrire correctement. La grammaire et ses règles ne sont donc pas étudiées à cause de leur [5] valeur intrinsèque, mais tout simplement à cause des services importants qu'elles peuvent rendre à ceux qui les possèdent.

En histoire enfin, s'il faut apprendre par cœur beaucoup de faits et de dates, c'est surtout parce que faits et dates permettent de voir dans une merveilleuse perspective deux aspects [10] de l'histoire jugés importants: la vie des Français à différentes époques, et celle des grands personnages historiques. Ici encore donc, l'orientation humaine est très caractéristique. Les faits sont importants. Il faut les reconnaître, les accepter et les apprendre, mais ils ne sont importants qu'en fonction des [15] rapports qu'ils peuvent avoir avec les hommes et en particulier avec les gens de la commune de Peyrane.

Dans toutes les questions qu'il aura plus tard à résoudre, l'élève, même moyen, sait ou sent, premièrement: qu'il doit pouvoir déceler un certain principe sous-jacent; deuxième- [20] ment: qu'il n'y a pas de phénomène isolé (que tout se rattache à quelque chose de plus grand); et enfin, troisièmement: que seules les questions touchant l'humain sont vraiment intéressantes. Avoir ce point de vue revient à envisager tout problème avec bon sens, raison et logique, c'est-à-dire correcte- [25] ment.

### DÉDOU ET SA MÈRE

Bien entendu, l'enfant a déjà pris plus ou moins conscience, à la maison, de ces notions fondamentales. Un jour, M^me Favre cousait, assise devant sa porte; son fils de trois ans jouait dans la rue; à un certain moment, il s'est approché du [30] ruisseau, et comme il allait s'y salir, sa mère lui a vivement crié:

— Dédou, tu vas te salir, va-t'en de là.

*Dédou en 1951 tient bien
la main de sa grand'mère*

*Dédou et sa grand'mère en 1959*

Dédou, d'ordinaire docile, cette fois a répliqué:

— Pourquoi?

— Parce que je te dis d'être sage. Parce que tu es un petit garçon et que je suis ta mère. Parce qu'on n'est pas des bêtes. C'est comme ça. Et voilà.                                    5

M<sup>me</sup> Favre n'exerçait pas seulement son autorité. Sans le savoir, elle expliquait à son fils qu'un principe indépendant de la volonté de Dédou était impliqué dans les circonstances présentes. Elle lui expliquait en somme que tous les deux, elle et lui, appartenaient à une même famille, et que chacun avait à 10 tenir un certain rôle. Elle faisait ressortir l'importance de la dignité humaine. Il n'y avait pas à discuter. Les faits étaient là, et tout ce que le petit garçon pouvait faire, c'était de s'y conformer.

J'avais été autorisé à enseigner l'anglais à quelques-uns 15 des élèves les plus âgés, trois fois par semaine, après 4 h. Un jour, Henri Favre, le père d'une élève, m'a demandé:

— Qu'est-ce que fait Jacqueline en anglais?

C'était la plus mauvaise élève.

— Oh, elle fait quelques progrès.                                    20

Le père a eu l'air à la fois satisfait et surpris.

— Cela me fait plaisir, bien sûr, mais vous savez, cela me surprend, car Jacqueline est paresseuse, et puis elle n'est pas très intelligente.

Ainsi les parents reconnaissent et admettent volontiers 25 qu'il y a des enfants plus intelligents que d'autres. C'est un fait parmi bien d'autres. On ne peut cacher ce qui est parfaitement évident à tout le monde. Et par suite, parents et institutrices s'expriment assez franchement là-dessus.

Devant les élèves, il est arrivé plusieurs fois à l'une des 30 institutrices de dire à un collègue venu observer la classe: «Cette petite est intelligente. Et elle travaille bien. C'est un plaisir d'avoir une élève comme elle. Celle-là au contraire, malgré tous ses efforts, ne réussit en rien. Je crois qu'elle n'est pas normale.»                                    35

Puisqu'il est ainsi reconnu que chaque élève dispose de moyens différents, on ne s'attend pas aux mêmes résultats pour tous. L'institutrice, après avoir jugé les aptitudes intellectuelles de chacun, fixe un but assez élevé à chaque enfant, et par tous les moyens dont elle dispose, elle le pousse à atteindre ce but.

### DISCIPLINE: COURTOISIE ET PROPRETÉ

Si l'on admet des inégalités d'intelligence et par suite des
5 résultats individuels variés, dans le domaine de la conduite par contre, tous les enfants subissent uniformément le même régime.

Les institutrices comprennent fort bien que l'enfant qui n'a plus de mère soit moins bien élevé que celui qui grandit
10 dans une atmosphère familiale saine et stricte. Elles le comprennent, mais elles ne tolèrent pas pour cela le moindre écart de conduite à l'école.

La plupart des parents, à la maison, et les institutrices, à l'école, exigent à peu près le même genre de discipline. Par
15 conséquent, les enfants qui ne sont pas habitués chez eux, pour une raison ou pour une autre, à cette discipline, souffrent plus que les autres à l'école.

Toutes les fois qu'un visiteur entre dans une classe, tous les élèves se lèvent et disent ensemble: «Bonjour, Monsieur.»
20 Pour les plus petits, l'institutrice est souvent obligée de dire un peu durement: «Eh bien, que fait-on quand une grande personne entre ici?» Et ils se lèvent alors bien gentiment.

«Nous sommes heureux de recevoir des visiteurs», dit l'institutrice. «Cela donne l'occasion à nos élèves de mettre en
25 pratique les leçons de politesse que nous leur enseignons. Politesse dont ils manquent tant.»

Etre poli et savoir ses leçons sont d'une égale importance. En s'adressant à leur institutrice ou à une grande personne, les enfants doivent toujours commencer par: «Mademoiselle» ou
30 «Monsieur». Un garçon doit toujours enlever sa casquette ou son chapeau quand il dit bonjour à quelqu'un, et non pas se contenter d'y porter un doigt.

Les enfants ne doivent jamais mettre en doute ce que dit l'institutrice, et d'ailleurs elle jouit généralement d'un grand respect. En toutes circonstances ils doivent parler «comme il faut», c'est-à-dire clairement et sans détours, et toujours dire: «oui, Madame; non, Madame». Et quoi qu'en disent certains parents de Peyrane, les enfants paraissent ici à l'observateur américain incroyablement bien élevés. Ils sont courtois, dociles, ₅ souples et respectueux. Ils semblent même parfois manquer de hardiesse.

Ils doivent être soigneux et soignés. Ils ont déjà appris à jouer sans se salir. Le travail scolaire doit maintenant être très soigné: pas de taches d'encre sur les mains, les livres, les ₁₀ cahiers ou les vêtements. Si les devoirs ne sont pas d'une présentation impeccable, ils sont refusés. Sur leur personne, ils doivent être aussi propres que les conditions familiales le leur permettent. S'ils arrivent régulièrement en classe avec des vêtements sales, l'institutrice s'arrange pour leur faire com- ₁₅ prendre ce qu'elle attend d'eux sur le plan de la propreté, tout en prenant bien garde de ne pas critiquer les parents.

Mentir, voler, tricher sont des formes de malhonnêteté qui se manifestent rarement et qui sont punies très sévère-ment. Là encore, la collaboration des parents et des institutrices ₂₀ est parfaite.

Comme sanctions aux infractions variées, les punitions corporelles ne sont jugées ni souhaitables ni effectives. Si le travail scolaire est insuffisant, il doit être complémenté par d'autres devoirs. S'il est mauvais, il doit être refait. L'enfant ₂₅ y perd un certain temps de jeux ou de liberté, et générale-ment la famille y ajoute sa propre punition.

En classe, une des sanctions les plus efficaces consiste à faire honte à l'élève et à dresser les autres contre lui. Un jour, dans la classe de Madame Vernet, j'ai été témoin de la scène ₃₀ suivante:

«Ah, Monsieur, vous arrivez au bon moment,» dit l'insti-tutrice. «Regardez cette dictée. Avez-vous jamais vu quelque chose de si peu soigné, de si mauvais? Six fautes en trois lignes, et une tache d'encre par-dessus le marché! Regardez, Mon- ₃₅ sieur, elle a écrit *ses* au lieu de *c'est*, et la phrase n'a plus

*Toutes les photos officielles se ressemblent*
*(A trouver: les deux Américains)*

de sens. C'est stupide, stupide! Et moi qui croyais qu'elle était intelligente. C'est de la paresse. Elle ferait du bon travail si elle le voulait. Mais non, elle préfère rester là à rêver sur sa chaise! Et dire qu'elle veut se présenter au Certificat! Quelle honte
5 ce serait pour l'école et pour ses parents! Je ne la présenterai point. Quel candidat réussirait qui écrit *ses* dans une dictée au lieu de *c'est?*»

Situation délicate pour le visiteur. Les autres élèves riaient d'un air moqueur. L'accusée s'est mise à pleurer.
10 «C'est ça. Maintenant tu pleures. Comme ci cela pouvait t'aider à écrire une dictée. Non, tu resteras à l'école après la classe. Et nous referons cette dictée jusqu'à ce que tu la fasses bien!»

Une autre façon de faire honte à un élève consiste à

comparer les résultats de son travail avec ceux d'un camarade
qui a mieux réussi qu'on ne s'y attendait.

— Sept fois neuf, Marie?

— Je ne sais pas, Madame.

— Ah! elle ne sait pas combien font sept fois neuf. Toute 5
la classe le sait. Tous ensemble, combien font sept fois
neuf?

Dans un rugissement, toute la classe donne la réponse.

— Vous voyez, Marie, tout le monde ici le savait. Sais-tu
combien font sept fois huit? 10

— . . .

— Non, évidemment, elle ne le sait pas. N'as-tu pas honte?
Même Alain le sait, et il est resté chez lui, malade, pendant un
mois. Combien font sept fois huit, Alain?

— Cinquante-six, Madame. 15

— Tu vois, Marie, même Alain le savait, et tu es plus
intelligente que lui. Tu n'as pas appris ta table de multiplica-
tion, n'est-ce pas?

— Non, Madame.

— Eh bien, tu resteras ici pendant la récréation, et tu 20
apprendras la table de sept, et si tu ne la sais pas après la
récréation, tu resteras encore après la classe. Compris?

— Oui, Madame.

Et l'enfant ainsi puni justement ne peut compter sur la
pitié ou la sympathie de personne. 25

### RÉCOMPENSES ET PRIVILÈGES

Quand l'institutrice est obligée de sortir momentanément
de la salle de classe, elle confie souvent le soin de surveiller les
élèves à l'un d'eux. A son retour, le «surveillant» lui fait un
rapport fidèle, et, sans hésiter, elle distribue les punitions
selon les indications qu'il lui donne. Par contre, «le mouchard», 30
c'est-à-dire celui qui «rapporte» à l'institutrice sans qu'elle lui
ait rien demandé, est extrêmement mal vu par les camarades,
et l'institutrice elle-même n'approuve pas du tout ce zèle.

L'élève auquel elle demande de surveiller la classe à sa

place est bien entendu l'un de ses élèves favoris. Tout le monde, grands et petits, considère un certain favoritisme comme inévitable, à condition bien entendu que les punitions soient distribuées avec justice et impartialité.

5 Le système officiel des récompenses est le système des «bons points». Le bon point est généralement une image coloriée, représentant une fleur, un animal, un costume provincial, etc. Des élèves en font collection dans un album. Après avoir gagné un certain nombre de bons points, l'élève
10 est inscrit dans un registre et sur une liste qu'on affiche chaque semaine dans la classe.

Pour l'enfant qui a de l'ambition personnelle et une intelligence supérieure à la moyenne, le sentiment de fierté qu'il tire de son succès est sa vraie récompense. On attend de lui
15 des résultats supérieurs; l'institutrice lui consacre plus de temps qu'aux autres, tout en le traitant tout aussi strictement que ses camarades; elle a fixé le but à atteindre légèrement au-dessus du niveau auquel il peut réellement parvenir. Pas de faveurs spéciales. En fait il doit passer plus de temps à son travail
20 que ses camarades, car on attend davantage de lui. En famille, on a décidé que s'il ne déçoit pas ceux qui lui font confiance, on l'enverra ailleurs pour apprendre un métier ou se préparer à une profession ou à un poste de fonctionnaire; on fera les sacrifices pécuniaires nécessaires. On le lui dit. On lui fait
25 comprendre les responsabilités dont on le charge.

Bien entendu, tous ces motifs pour travailler bien et beaucoup ne sont pas partagés par les autres enfants. La plupart d'entre eux savent qu'ils sont moins intelligents. On le leur a dit assez souvent. Ils savent de même que ce ne serait pas
30 «raisonnable» d'envier le camarade ambitieux et remarqué. Mais ils savent aussi qu'ils ne sont pas stupides, et qu'ils peuvent très bien se tirer d'affaire dans la vie.

Jacques Leporatti passait pour être d'une intelligence moyenne. Avec beaucoup d'efforts et de persévérance il a
35 passé son Certificat d'Études Primaires. Si on lui demande

«Pourquoi travaillez-vous tant?» il répond immédiatement et sans hésiter: «Pour qu'on me laisse tranquille!»

La grande affaire pour Jacques et la plupart des enfants, et en même temps la meilleure récompense, consiste à bien travailler et à se bien conduire afin de ne pas s'attirer des moqueries, des punitions et des ennuis de toutes sortes.

## LE CERTIFICAT D'ÉTUDES PRIMAIRES

Les meilleurs élèves, comme Georges Vincent, quittent Peyrane à 12 ans pour continuer à la ville des études plus avancées.[14] Les plus mauvais, comme Jacqueline Fabre, abandonnent l'école sans formalités à leur quatorzième anniversaire. Ceux qui veulent obtenir le Certificat d'Études Primaires, doivent, avant de pouvoir se présenter à l'examen, subir pendant plusieurs semaines un entraînement intensif.

Le diplôme, qui sera encadré et suspendu dans la «salle», fera honneur à toute la famille, et rendra fier toute sa vie celui qui l'aura obtenu. Sa possession ouvrira les portes de certaines administrations, car il représente le minimum de connaissances exigées dans beaucoup de cas. A 14 ans, l'on ne songe peut-être pas à entrer dans une administration qui exige le Certificat. Mais, qui sait si un jour, pour une raison ou pour une autre, le poste de facteur ne sera pas tentant?

L'examen a lieu au chef-lieu de canton.[15] Pour les élèves de Peyrane c'est Gordes,[16] à une dizaine de kilomètres de Peyrane. Le jury, composé d'instituteurs et d'institutrices venus des cantons voisins, est présidé par l'Inspecteur Primaire. Les institutrices de Peyrane n'ont rien à voir avec l'examen. Mais elles sont souvent jugées (en tout cas par les parents) d'après les résultats des élèves qu'elles présentent officiellement ce jour-là.

[14] Parce qu'il est plus facile à cet âge-là de commencer des études secondaires au lycée (en classe de 6ᵉ).

[15] Le département est divisé en arrondissements; l'arrondissement en cantons; le canton en communes.

[16] Chef-lieu de canton.

La directrice (ou l'institutrice chargée de la classe de fin
d'études) choisit les élèves qu'elle considère comme suffisamment intelligents et capables d'un effort spécial pour se préparer
à l'examen. Elle les prend, pendant deux mois, après les heures
5 régulières de classe, et le jeudi et le dimanche, chez elle.
Ceux qu'elle ne désigne pas, mais qui insistent pour tenter leur
chance tout de même, sont l'objet des mêmes soins que les
premiers. Toutefois, ils se présentent sous leur propre responsabilité, et la directrice prévoyant le pire, fait de son
10 mieux pour les décourager de se présenter, car s'ils échouent,
c'est la disgrâce pour eux-mêmes, leur famille et l'école.

L'examen, dont la nature est précisée dans tous ses détails
par le Ministère de l'Éducation Nationale, comprend: quatre
heures d'examen écrit, le matin, et deux heures d'examen oral,
15 l'après-midi.

### Matières

| Épreuves écrites: | Minimum requis pour réussir |
|---|---|
| I. Dictée, suivie de questions sur:<br>  1. la compréhension du texte<br>  2. la grammaire<br>  3. une explication de mots difficiles | 10 sur 20 |
| II. Mathématiques:<br>  1. Géométrie<br>  2. Arithmétique<br>  3. Système métrique | 10 sur 20 |
| III. Composition:<br>  1. une lettre sur un sujet donné<br>  2. un sujet au choix | 5 sur 10 pour la composition; 2,5 sur 5 pour l'écriture |
| Épreuves orales: | |
| 1. Géographie | 2,5 sur 5 |
| 2. Histoire | 2,5 sur 5 |
| 3. Sciences | 5 sur 10 |

| | |
|---|---|
| 4. Calcul mental [17] | Pas de points, |
| 5. Dessin (garçons) | mais doivent être |
| Couture (filles) | passables |
| 6. Lecture à haute voix, récitation, ou chant | |

Examinateurs, élèves et parents sont d'accord pour trouver que l'examen est dur mais qu'il est juste.

Le jour de l'examen, plusieurs voitures emmènent les candidats. Dans la plupart des cas, le père ou la mère, ou même les deux parents, accompagnent l'enfant. M. Marchal 5 explique: «Qu'est-ce que vous voulez? Jules m'a demandé d'aller avec lui. Il se sentira plus sûr de lui si nous l'accompagnons. Et puis, si j'étais resté chez moi, je n'aurais pas eu la tête au travail!»

Au village de Gordes, bien avant 8 h., la petite place 10 s'est remplie de voitures. En petits groupes silencieux et tendus, parents et enfants attendent, debout, que l'Inspecteur donne le signal d'entrer dans la salle d'examen. Des mères s'assoient alors sur les bancs de la place et se mettent à tricoter; les pères vont parler affaires au café et les instituteurs et in- 15 stitutrices qui ne font pas partie du jury bavardent entre eux.

Vers 10 h., les enfants sortent, et pour leur donner du courage, les mères leur donnent un peu de pain et de chocolat. A midi, tout le monde déjeune, les familles en pique-nique, examinateurs et institutrices à l'auberge du village, mais sans 20 l'Inspecteur, car «nous l'aimons bien, mais nous nous sentons plus à l'aise sans lui ce jour-là.» La conversation à table est sérieuse. Chacun essaie de déterminer les chances de ses propres candidats, mais sans trop insister toutefois, car la semaine suivante, dans un autre village, les rôles seront 25 changés: les examinateurs d'aujourd'hui amèneront leurs propres candidats, et les autres seront les examinateurs.

A 2 h., les épreuves orales commencent. A 4 h., l'écrit a été corrigé et noté. Le jury délibère, et bientôt l'Inspecteur

[17] «mental arithmetic»

*Les candidats de Peyrane*

*Consultation avec l'institutrice*

*M. l'Inspecteur présente les certificats*

*Un candidat heureux, des parents fiers*

*La grande journée du CEP*

vient au milieu de la place, un paquet de diplômes signés de
sa main sous le bras. Il lit le nom des lauréats. Chacun
s'avance pour recevoir son diplôme. Aucun applaudissement.
Aucun serrement de mains. Aucun échange de félicitations.
Seuls des sourires heureux et des sourires figés distinguent les  5
familles satisfaites et les autres.

## QUESTIONS

1. A quel âge l'enfant est-il envoyé à l'école? Pourquoi?
2. Pour quelles raisons n'est-il pas surpris d'être envoyé à
l'école? 3. Qui l'accompagne le premier jour? Pourquoi?
4. Décrivez l'accueil qu'il reçoit le premier jour. 5. Comment
l'institutrice le traite-t-elle les jours suivants? 6. Expliquez
ce que l'on fait dans le Jardin d'enfants. 7. Pourquoi Johnny
Wylie préfère-t-il ce genre d'école?

8. A Peyrane, qu'est-ce que les parents pensent de l'instruction? 9. Comment coopèrent-ils avec l'institutrice? 10. Si
l'enfant est puni pour mauvaise conduite à l'école, que lui
arrive-t-il chez lui? 11. Pour faire plaisir aux parents et pour
les flatter, qu'est-ce que les institutrices organisent chaque
année? Donnez quelques détails.

12. Décrivez la position enviable de l'instituteur au village.
13. A quelles conditions est-il bien vu par tout le monde?
14. Quels enfants sont attirés par la profession d'instituteur?
15. Y arrivent-ils facilement? Pourquoi? 16. Pourquoi les
trois institutrices décrites ici cherchent-elles à quitter Peyrane?
17. Quelles critiques les gens du village font-ils aux institutrices? 18. Est-ce que ces critiques sont justifiées?

19. Pourquoi les enfants des fermes arrivent-ils les premiers
à l'école? 20. Quel est le but des leçons de morale? 21.
Quand est-ce que ces leçons de morale sont difficiles à comprendre? Donnez deux exemples. 22. Qu'est-ce qu'une récréation? 23. Combien de récréations par jour ont les élèves, et
vers quelles heures? 24. Que trouve-t-on au menu de la

cantine? 25. Pourquoi les enfants ne doivent-ils rien laisser dans leur assiette? 26. En quoi consiste le goûter? 27. Qu'est-ce que font les plus grands et les plus grandes avant le dîner? 28. Comment l'enfant de quatre ans accepte-t-il cette vie assez dure, et pourquoi?

29. Par qui sont réglés les programmes scolaires, les horaires et les méthodes à suivre? 30. Est-ce que les instructions ministérielles sont appliquées à la lettre? Expliquez. 31. Quelles sont les principales matières enseignées à l'école primaire? 32. Comment les matières enseignées se partagent-elles l'horaire? 33. A quatorze ans, qu'est-ce que l'enfant a appris?

34. Quelle méthode suit-on pour enseigner la grammaire? 35. Quelle méthode suit-on pour enseigner l'arithmétique? 36. Comment étudie-t-on l'histoire? 37. Qu'est-ce qui donne de l'importance aux faits historiques isolés? 38. Comment l'enfant étudie-t-il la géographie? 39. Que fait-on avant de considérer et d'évaluer l'ensemble d'un passage littéraire? 40. Expliquez le principe suivant lequel «toute connaissance ne vaut que si elle se rapporte aux êtres humains.» 41. En quoi consiste l'étude de la géographie? 42. Pourquoi l'étude de la grammaire française tient-elle une grande place? 43. Dans toutes les questions à résoudre, quels sont les trois grands points de vue auxquels l'élève, même moyen, sait ou sent qu'il doit se placer?

44. Racontez le petit incident qui s'est produit entre M^{me} Favre et Dédou. 45. Quelle est la signification de cet incident? 46. Pourquoi Henri Favre est-il à la fois satisfait et surpris d'entendre dire que sa fille fait des progrès en anglais? 47. Pourquoi les parents et les institutrices discutent-ils franchement de l'intelligence des enfants en leur présence? 48. Est-ce qu'on s'attend aux mêmes résultats de la part de tous les élèves? Pourquoi?

49. Pourquoi l'institutrice est-elle heureuse de recevoir des visiteurs dans la salle de classe? 50. Que font et que disent les garçons quand ils s'adressent à une grande personne? 51. Si le travail écrit n'est pas soigné, qu'arrive-t-il? 52. Quelles sont les formes de malhonnêteté qui sont punies sévèrement?

53. Quelles sont les sanctions en cas de travail scolaire insuffisant? En cas de travail franchement mauvais? 54. Comment la famille collabore-t-elle avec l'institutrice à propos de ces sanctions? 55. Quel genre de punition est particulièrement efficace? Donnez un exemple. 56. Quelle que soit votre opinion personnelle sur ce genre de sanction, essayez de commenter la phrase, lignes 24–25, page 53, en fonction du développement de la personnalité et du caractère individualiste du Français moyen.

57. Qu'est-ce qu'un mouchard? 58. Expliquez le système des récompenses. 59. Quelle est la vraie récompense de l'élève très intelligent? 60. Comment l'élève très intelligent est-il poussé par sa famille et par l'institutrice? 61. Comment se comportent les enfants moins intelligents? 62. Pourquoi Jacques Leporatti travaille-t-il tant?

63. Pourquoi est-il important de passer le Certificat d'Études Primaires? 64. Qui fait passer l'examen? 65. Comment les candidats se préparent-ils aux épreuves de l'examen? 66. Est-ce que tous les élèves de la classe de fin d'études se présentent? Pourquoi? 67. Combien de temps durent les épreuves écrites? Les épreuves orales? 68. Quelles sont les matières de l'écrit? 69. Quelles sont les matières de l'oral? 70. Pourquoi M. Marchal accompagne-t-il son fils, Jules, le jour de l'examen? 71. Pourquoi les instituteurs et les institutrices ne déjeunent-ils pas avec l'Inspecteur ce jour-là? 72. Comment sait-on quels candidats ont réussi? 73. Décrivez la scène finale, sur la place du village de Gordes.

# ADOLESCENCE 5

A Peyrane, entre les examens du Certificat d'Études Primaires de juin et la Distribution des Prix de juillet, plusieurs semaines se sont écoulées assez agréablement pour les lauréats, Jules Marchal et Jacques Leporatti. Gâtés par leurs parents, 5 félicités par les gens du village, c'est la première fois depuis dix ans qu'on les laisse tranquilles, aussi bien à la maison qu'à l'école.

Félix Raboul est également à l'honneur pour son succès au C.E.P. Mais, comme la directrice a assuré à ses parents 10 qu'il était assez intelligent pour continuer ses études, il passe le mois de juillet à se préparer à l'examen d'entrée à l'École Technique de Sorgues, d'où il sortira mécanicien spécialisé.

Georges Vincent, treize ans, fils unique du restaurateur, se prépare aussi à cet examen. Il avait bien encore un an à 15 faire à l'école de Peyrane, mais ses parents et la directrice ont pensé qu'afin de gagner du temps il devait tenter sa chance à l'école de Sorgues.

Tous les deux ont été reçus. En octobre, ils ont quitté Peyrane. Et, si tout va bien, ils ne reviendront plus au village 20 que pour rendre visite à leurs familles. Ainsi, chaque année, les deux ou trois élèves les plus intelligents et les plus ambitieux abandonnent Peyrane. Leurs familles qui parfois reçoivent d'eux, plus tard, une aide financière, sont très fières et honorées d'avoir eu des enfants qui ont réussi.

Ceux qui ne sont ni assez doués ni assez ambitieux pour continuer ailleurs leurs études mènent désormais, après quatorze ans, une vie simple et agréable. Ce ne sont plus des enfants. Ce sont des jeunes gens, et tout ce qu'on leur demande c'est d'une part de gagner assez d'argent pour assurer 5 leur subsistance, et d'autre part de prendre la vie du bon côté, de s'amuser de leur mieux jusqu'à ce que l'âge et l'expérience aidant, et devenus sérieux, ils songent à se marier. Les cinq à dix années qui séparent la fin des classes du mariage sont des années de liberté relative: plus de discipline scolaire et pas 10 encore de responsabilités familiales. Selon les gens de Peyrane, ce sont les plus belles années de la vie.

## POSSIBILITÉS IMMÉDIATES DE TROUVER DU TRAVAIL

Beaucoup d'enfants trouvent sans difficulté à gagner leur vie. Jules Marchal, par exemple, le lendemain de la Distribution des Prix, s'est mis à travailler dans la ferme de son père. 15 Ce genre de travail n'est pas nouveau pour lui, et c'est ce qu'il avait toujours envisagé de faire après son C.E.P. Quelques mois avant la fin des classes, il avait écrit la composition suivante:

Mes aïeux ont travaillé la terre. Mes grands-parents et mes parents aussi. Mon père a décidé de travailler la terre parce qu'il ne savait pas faire autre chose. Il a appris le métier en travaillant avec son père dans les champs. Moi aussi je travaillerai la terre parce que ce métier me plaît.

Ce n'est pas par romantisme. La famille de Jules ne 20 possède pas de terres. Depuis plus de trois générations ils travaillent la terre des autres: ils sont *fermiers*[1] et non pas propriétaires. Ces gens sont attachés au métier et non pas à la terre. Dans leur composition française, les autres enfants, fils de propriétaires, de *fermiers* ou de métayers[2] annonçaient 25

[1] Le fermier paie un loyer pour exploiter à son compte la ferme d'un autre.
[2] Le métayer exploite les terres d'un autre et il en partage avec lui les produits et les bénéfices.

les mêmes intentions: ils comptaient tous continuer le métier
du père. La plupart des enfants d'artisans, de boutiquiers et
de manœuvres feront de même.

Même Jacques Leporatti, après son C.E.P., pensait travail-
5 ler comme son père, un des hommes les plus pauvres de la
commune, dans les carrières d'ocre du village. S'il était allé
au Centre d'Orientation Départemental à Avignon, il aurait
obtenu gratuitement une information complète sur la marche
à suivre pour trouver un métier plus rémunérateur. Mais
10 évidemment son père ne connaissait pas l'existence de ce nouveau service, ou ne se rendait pas compte de son utilité.

De temps en temps, les jeunes peuvent trouver du travail, çà et là en dehors de la famille ou des voies routinières:
la coopérative prend parfois un jeune homme pour conduire
15 un tracteur — mais l'employé permanent est un homme marié;
aux champignonnières, plusieurs jeunes gens sont employés
en plus des ouvriers réguliers; l'entrepreneur de maçonnerie,
outre ses maçons réguliers, a coutume d'engager aussi un
moins de vingt ans.

20 Les artisans et les commerçants n'ont rien à offrir. Ils se
contentent de faire vivre leur propre famille. De temps en
temps le boucher prend quelqu'un pour l'aider dans ses tournées en camion. Le tailleur aussi, exceptionnellement, a pris
comme apprenti le fils du secrétaire de mairie. Un autre fils
25 du secrétaire, qui n'a pas de vrai métier, travaille à droite et
à gauche selon les occasions qui se présentent: sur les chemins
de la commune, au recensement de la population, comme
facteur suppléant, mais quand il aura terminé son service
militaire,[3] il lui faudra sans doute aller à Marseille à la
30 recherche d'un emploi stable.

A ne considérer que Jules et Jacques, qui prennent le
métier de leur père, on se ferait une idée fausse de la stabilité

---

[3] Tout jeune homme doit, à vingt ans, accomplir ses deux ans de service
militaire; quelques rares catégories (les étudiants, par exemple)
peuvent, sur demande, obtenir un sursis («deferment») annuel, et re-
nouvelable jusqu'à l'âge de vingt-cinq ans.

de la population de Peyrane. On doit en effet tenir compte des nombreux jeunes gens qui partent à la ville et qui ne reviennent guère plus de deux fois par an au village, à la Toussaint et à la Pentecôte.

Les jeunes filles, elles, cherchent souvent un travail pro- 5 visoire à Peyrane, en attendant le mariage. L'une d'elles, Jeanne Favre, n'en ayant pas trouvé, s'est engagée comme cuisinière à l'hôpital d'Apt. Après son départ et son installation à la ville, elle a reçu une offre de l'aubergiste de Peyrane. Sa famille, malgré son vif désir de la voir retourner au village, 10 n'a pas insisté pour qu'elle revienne, et Jeanne est restée à Apt où elle commençait à se faire des amis.

Bien entendu, dans la plupart des familles, la jeune fille aide aux travaux domestiques et se prépare ainsi à son futur rôle de ménagère. Au cas où son aide n'est pas nécessaire à 15 la maison, on s'attend à ce qu'elle apprenne sérieusement quelque métier, soit la couture soit les soins de beauté. Marguerite Jouvaud, la fille unique du maçon va prendre des leçons de couture deux fois par semaine à Apt. Les autres jours elle coud pendant plusieurs heures au village sous la 20 direction d'une grand'tante qui est couturière. Louise Paul, la fille d'un des propriétaires des carrières d'ocre, travaille chez Madame Avenas qui tient un salon de beauté.[4]

### IL FAUT S'AMUSER! ON N'EST JEUNE QU'UNE FOIS!

Celles qui prennent des leçons, bien sûr, ne gagnent pas d'argent. Ceux qui travaillent pour leurs parents n'en gagnent 25 pas non plus. Et même ceux qui, en théorie, ont un salaire, ne le reçoivent pas, car le salaire va aux parents.

Mais, d'autre part, le père a le devoir de donner à ses enfants tout l'argent dont ils ont besoin pour s'amuser. Tradition et coutume veulent que les parents soient très généreux 30 là-dessus.

Il y a plusieurs années, Robert Cavaud, à seize ans, a

---

[4] Voir dans le dernier chapitre, pp. 183–184, la nouvelle entreprise commerciale de M^{me} Avenas.

quitté le village pour aller à Marseille. Les gens ont dit: «Que voulez-vous? Le père ne veut pas donner d'argent à son fils pour qu'il s'amuse comme les autres. Le père a tort, pécaïre!» Car en effet, tout le monde ici trouve que la jeunesse a
5 non seulement le droit mais le devoir de s'amuser. Il manquera quelque chose à l'adulte qui, pour une raison ou pour une autre, n'a pas profité de sa jeunesse. Il fait pitié, et même parfois il inquiète.

Les gens reprochent, par exemple, à Roger Prayal, le fils
10 du forgeron, d'avoir été trop sérieux et trop travailleur pour son âge. Maintenant il a pourtant l'air aimable, intelligent, et consciencieux. Mais entre quatorze et vingt ans, il ne s'est jamais détendu et n'a pas su s'amuser comme les autres. Or ce n'est ni normal ni souhaitable, pense-t-on, qu'un adolescent
15 se conduise comme un adulte.

Lucien Bourdin n'a pas eu non plus une adolescence normale. Mais on a pitié de lui. Car son père a été tué pendant la Première Guerre Mondiale. Il a dû travailler très tôt pour faire vivre sa mère et sa grand-mère. A vingt-cinq ans, sa
20 ferme était prospère et il aurait pu, tardivement, s'amuser un peu, quand la Seconde Guerre Mondiale a éclaté. Et, après cinq ans comme prisonnier de guerre en Allemagne il est rentré au pays: sa ferme était en très mauvais état et l'inflation avait emporté ses économies. Il lui a fallu tout recommencer.
25 A trente-cinq ans il est toujours célibataire, et il passe pour bizarre. Les gens attribuent sa bizarrerie au fait qu'il ne s'est pas amusé comme les autres en temps voulu.

Gaston Jouvaud est un des hommes les plus respectés de Peyrane. Intelligent et très travailleur, il est le principal
30 maçon de la commune, avec six hommes sous ses ordres. Et pourtant il n'a pas été toujours très *sérieux*. Il y a dix ans, on n'imaginait pas qu'il puisse s'assagir jamais. Son copain Guy Vidal et lui faisaient souvent scandale au village. Et puis, Gaston s'est marié, s'est construit sa propre maison, et main-
35 tenant c'est l'un des hommes les plus sérieux de Peyrane.

**66**

Gaston et Guy sont tous deux des hommes normaux. Les autres risquent de porter en eux des passions inexprimées ou inassouvies! Avec eux on ne sait jamais à quoi s'attendre!

### LE CAFÉ. LES SPORTS

Dès qu'ils en ont terminé avec l'école, garçons et filles de quatorze ans peuvent prendre part aux distractions des 5 grandes personnes.

Les garçons participent maintenant aux concours de belote au café le samedi soir et aux concours de boules le dimanche après-midi. Comme ils jouent entre eux depuis longtemps aux cartes et aux boules, ils y sont aussi experts 10 que les adultes, et les meilleurs sont acceptés en égaux dans la plupart des parties.

Ils hésitent encore à aller seuls au café. Mais au bout d'un an ils s'y sentent aussi à l'aise que les hommes. En général trois groupes s'y forment: celui des vieux, celui des 15 hommes mûrs et celui des adolescents. A quinze ou seize ans, les jeunes gens commandent leur propre jus de fruit, parfois un verre de vin, en attendant de commander comme les hommes, à dix-sept ou dix-huit ans, un pastis ou quelque apéritif. Et, comme les hommes aussi, de temps en temps, ils 20 commandent une Eau de Vichy, sous prétexte qu'ils ont mal au foie!

Toutes les grandes personnes regrettent qu'il n'y ait pas plus de distractions à Peyrane pour les jeunes.

Après la guerre, un «Club des Jeunes» s'est fondé, qui 25 avait pour but de monter des pièces de théâtre. Mais ce club n'a pas fonctionné longtemps, car les membres ne se sont pas entendus. Tous ceux qui ont su ou ont voulu prendre une initiative étaient aussitôt accusés de vouloir tout diriger. Les communistes ont démissionné quand ils ont vu qu'ils ne pou- 30 vaient pas faire élire leurs candidats au bureau du club. Ils ont prétendu que les autres membres faisaient de la politique dans les réunions. Les non-communistes ont prétendu que les communistes avaient essayé de prendre le club en mains. Bref les membres sérieux se sont lassés de ces discussions, et le «Club des Jeunes» est mort.

5 Pendant la dernière guerre, un ancien sergent, qui remplissait provisoirement les fonctions de secrétaire de mairie, a essayé d'organiser une équipe de foot-ball. Le Conseil Municipal a payé l'aménagement d'un terrain et la construction d'un vestiaire et de douches. Malheureusement, en vrai sergent, il menait les joueurs comme une escouade de jeunes recrues. Et 10 un jour il a frappé un jeune homme marié qui arrivait en retard à l'entraînement. «Ce n'est pas une façon de traiter un chef de famille,» ont dit les autres joueurs. Et bientôt le club de football s'est désagrégé.

### LE BAL

Ce qui réussit assez bien pourtant à Peyrane ce sont les 15 bals. Il y a deux bals importants par an à Peyrane même. L'un est organisé par la compagnie des pompiers, l'autre par le Comité des Fêtes nommé par le maire à l'occasion de la Saint-Michel. Les pompiers font généralement venir un orchestre connu. A l'autre bal, n'importe quel orchestre fait l'affaire, 20 puisqu'il est gratuit et que donc de toutes façons il y aura du monde.

Un peu après 9 h. (le bal commence toujours en retard), les jeunes gens et les jeunes filles arrivent par petits groupes, gais et bavards, les garçons d'un côté, les filles de l'autre faisant 25 tous bien semblant de ne pas se voir. Des œillades s'échangent pourtant tandis que les deux groupes bavardent et gardent leurs distances.

L'orchestre se met à jouer. Les deux groupes restent sur leurs positions. Mais heureusement il y a à ces bals quelques 30 rares familles toujours à l'affût de distractions: celles qui vont voir tous les films et tous les cirques ambulants et qui assistent à toutes les réunions politiques. Donc, dès que la musique commence, un père invite sa fille de treize ans; deux sœurs,

d'un certain âge, commencent bientôt à danser entre elles; puis,
c'est le tour de quelques jeunes mariés: une institutrice et son
mari, le fils du boulanger et sa jeune femme, et quelques autres
jeunes couples venus d'Apt pour l'occasion. Et alors, quelques
jeunes filles, fatiguées d'attendre que les jeunes gens se déci- 5
dent à quitter leur coin, se mettent à danser entre elles.

Après deux ou trois danses, les jeunes gens se décident
enfin. La façon de faire ne varie guère. Le garçon soudain
traverse la salle, va droit à celle qu'il a choisie et lui murmure
quelques mots. Elle ne répond pas, et ne semble même pas 10
voir le jeune homme, mais ils se mettent à danser, sans un
sourire, sans un regard. S'ils sont mauvais danseurs, ils se
contentent de marcher en rond autour de la salle. Les bons
danseurs, eux, exécutent des pas difficiles et compliqués. Certains font même du jitterbug. Mais la plupart ont l'air de ne 15
danser qu'avec leurs jambes, et d'ailleurs avec beaucoup de
grâce. Le haut du corps cependant demeure rigide et leur
visage sans expression.

Quand la musique s'arrête, les deux partenaires se séparent
sans un mot et sans un sourire et ils regagnent chacun leur 20
groupe. Une fois dans leur coin ils se détendent, ils sourient
et ils bavardent. Et au prochain morceau de musique, à
nouveau ils reprennent tous en dansant, mariés ou non, un
visage un peu sombre et sans aucune expression.

A observer cette jeunesse de Peyrane, on ne croirait pas 25
que la danse soit sa distraction favorite et que jeunes gens et
jeunes filles soient constamment à la recherche des bals qui
se donnent dans la région.

Car s'il n'y a que deux grands bals par an à Peyrane,
chaque village des environs a le sien et il y en a finalement 30
un quelque part chaque samedi soir. Et il ne faut pas le manquer! Le jeune homme qui possède sa moto est privilégié, car
il peut aller à tous les bals. S'il a une sœur à peu près du même
âge, elle profite de la moto et monte derrière lui. Les fiancés
aussi parfois partent ensemble, malgré les objections (de plus 35

69

en plus rares) des anciens du village qui préfèrent voir un père ou un frère plus âgé prendre la responsabilité de petits groupes de jeunes filles.

Pendant la soirée, quelques jeunes passent au café, s'as-
5| soient pour bavarder plus confortablement, se raconter des histoires, rire un peu, et boire très modérément.

Enfin, vers deux ou trois heures du matin, l'orchestre s'arrête. Cars et voitures ramènent tout le monde chez soi. Le propriétaire du café réussit à fermer ses portes. Tout est
10 calme dans le village, car ceux qui ne veulent pas encore se coucher partent en bandes en auto vers Apt ou Cavaillon. Pour eux la nuit vient de commencer.

### LA «PROMENADE»

Après la danse, la «promenade» est la distraction la plus populaire. La «promenade» est quelque chose d'assez difficile
15 à expliquer. Cela sera un simple petit tour à pied dans le village, un pique-nique dans les bois, ou encore une longue excursion minutieusement préparée jusqu'au sommet du Mont Ventoux. Toute la famille peut y prendre part, à l'occasion d'une Communion Solennelle par exemple. Ou bien c'est une
20 bande de jeunes filles qui vont voir le défilé annuel à Apt, ou tout simplement ce sont deux amoureux qui se promènent. Même une personne seule qui marche quelque temps sans but précis fait une «promenade».

Le bal, la «promenade», et les distractions propres aux
25 adultes sont censés satisfaire la jeune fille bien élevée. Elle peut aller au cinéma le mardi soir, à un bal le samedi soir, au marché d'Apt le samedi matin, passer la nuit du samedi chez une amie. Le dimanche après-midi et les jours de fête, elle fait une «promenade». A ses moments de loisir, elle va
30 prendre une tasse de thé chez des amis. Et un peu plus tard, des galants viennent la voir chez elle après le dîner.

### «IL FAUT QUE JEUNESSE SE PASSE»

Pour les garçons on s'attend à des distractions fortes et

*La voiture «neuve» des Borel*

plus bruyantes. Certains déjà boivent «sec» et font les quatre
cents coups après les bals, de café en café et de village en village. Il y a quelques années des jeunes gens formèrent un
groupe qu'ils appelèrent «la Bonbonne peyranaise». Tous
capables d'absorber de grandes quantités de vin, ils se réunis-  5
saient chez Louis Pascal, qui, délaissant la ferme paternelle,
avait envisagé de devenir le cordonnier du village. Pendant
toute une année, chaque soir et à l'occasion de chaque fête,
«la Bonbonne peyranaise» se réunissait chez lui pour jouer aux
cartes tout en buvant tard dans la nuit.  10
Parfois le groupe empruntait la voiture de Borel et partait
en joyeuses expéditions dans la région. Le grand dîner, but
principal de la bande, était précédé de plusieurs tournées de
pastis; de nombreuses bouteilles de vin étaient absorbées; le
cognac ou le rhum suivait le café. Et vers 11 h. commençait la  15
tournée nocturne des bals et des cafés des villes environnantes.
Cela pouvait durer jusqu'au lever du soleil. Ils rentraient alors

précipitamment à Peyrane chercher leur fusil et leurs chiens, et une heure plus tard ils repartaient tirer le lièvre et la grive. La fatigue et la faim ramenaient les chasseurs à la maison. Mais quelques jours plus tard ils se trouvaient à nouveau prêts
5 à repartir pour une nouvelle équipée.

Les agissements de cette «Bonbonne peyranaise» marquent la limite extrême jusqu'où peut aller la jeunesse du village. Et il y a bien sûr des grandes personnes pour penser et pour dire que ces garçons vont un peu trop loin au cours de leur vie
10 nocturne!

Mais en somme on croit que la jeunesse entre 14 et 18 ans doit s'amuser: boules, cartes, «promenades», bals, randonnées du samedi et du dimanche, etc. On en parle beaucoup, plus que du travail quotidien, bien que celui-ci ne soit pas négligé
15 non plus, puisqu'il doit rapporter assez pour subvenir à l'entretien du jeune homme dans sa famille. Mais interrompre brutalement l'adolescence, c'est-à-dire charger le jeune homme de responsabilités avant l'âge adulte semble très blâmable à Peyrane.
20 Quand, à 14 ans, l'enfant sort de l'école, il a une très bonne idée de ce qu'est la société et le code idéal qui la régit. Ses parents, l'école, la société elle-même, l'ont peu à peu amené à accepter ce code. A 14 et 15 ans, la personnalité de chacun de ces jeunes est particulièrement effacée. Ils constituent certaine-
25 ment le groupe social le plus docile et le mieux élevé des Peyranais.

Cette docilité et ce conformisme sont toutefois le résultat d'un dressage et d'une forte discipline imposée de l'extérieur. Les gens de Peyrane savent fort bien que ces conditions ne
30 peuvent plus ni ne doivent plus être maintenues. Ils savent que les adolescents ont des besoins et des désirs inconnus de leurs cadets.

Les jeunes doivent apprendre par eux-mêmes que la société admet deux codes: le code idéal, enseigné à l'école et dans
35 la famille, et le code réel, qui gouverne les actes des adultes.

D'une part l'institutrice fait apprendre par cœur des slogans comme celui-ci: «Nous devons aimer et protéger les petits oiseaux», et d'autre part, les enfants savent pertinemment que dès qu'ils le pourront ils feront comme leur père et qu'ils prendront au piège ou tireront le plus grand nombre possible ⁵ de becs-fins, de mésanges et de grives.

En classe, on leur apprend que payer ses impôts est un devoir civique, mais la vie leur apprend peu à peu qu'on ne paie vraiment que les impôts auxquels on ne peut échapper.

Avant de faire leur Communion solennelle, ils vont régu- ¹⁰ lièrement au catéchisme, et le prêtre fait de son mieux pour endoctriner ce peuple pratique. Mais plus tard la plupart d'entre eux ne fréquenteront le prêtre et son église qu'à l'occasion des grandes cérémonies familiales: baptême, mariage et enterrement. ¹⁵

Entre le moment où le code idéal est absorbé et le moment où le code réel se révèle peu à peu, l'adolescent traverse une période de tâtonnements et d'expérimentation pendant laquelle il prend connaissance des différences entre les deux codes.

Un jeune homme comme Roger, trop sage, trop bien ²⁰ équilibré, trop réfléchi pour son âge, ne vit pas vraiment cette période de tâtonnements et de découvertes. Il n'a pas l'occasion de se rendre vraiment compte par lui-même de ce qui peut se faire et de ce qui ne peut pas se faire.

Par contre il est reconnu ici qu'à la longue ceux qui vont ²⁵ contre les conventions sociales finissent par regretter et détester leurs écarts. Celui qui boit avec excès découvre qu'à boire moins son plaisir est plus grand. Celui qui passe la nuit du samedi à courir de ville en ville en quête de plaisirs s'aperçoit qu'il y a plus de satisfaction à mener une vie bien réglée et ³⁰ à ne se déplacer que pour aller de chez soi au café du coin.

On cite à Peyrane quelques cas de jeunes gens de seize et dix-sept ans qui sont partis travailler et vivre à Marseille. Après plusieurs semaines ou plusieurs mois, la plupart d'entre eux sont sagement revenus au village. En effet, après avoir ³⁵

*La vieille église n'est guère fréquentée qu'à l'occasion*
*des grandes cérémonies*

74

profité d'un certain temps de liberté et de complète indépendance, ils retrouvent, satisfaits, la vie peyranaise et ils l'acceptent. Peyrane aussi les accepte sans réserve, car on sait désormais à quoi s'en tenir avec eux.

### PREMIÈRES RESPONSABILITÉS

Quand un enfant a montré qu'il sait boire modérément on 5
le laisse se verser à boire. A Peyrane, la plupart des enfants de quatorze ans savent se servir de vin eux-mêmes. Mais Monsieur Maucorps, qui a plus de 77 ans, passe pour un enfant parce qu'il n'a pas encore appris à boire avec modération.

*M. Maucorps se repose entre deux verres*

A partir de quinze ans les garçons peuvent sortir seuls le soir. Et à seize ans ils n'ont plus besoin de dire où ils vont. La jeune fille de quatorze ans va au bal avec d'autres jeunes filles. Et à seize ans, si ses parents ne sont pas trop conserva-
5 teurs, elle peut y aller avec un jeune homme.

Le gouvernement reconnaît même dans certains cas que le jeune homme a atteint un certain degré de responsabilité. A dix-huit ans, par exemple, il lui accorde le permis de chasse. A seize ans, jeune homme et jeune fille peuvent obtenir le permis
10 de conduire. Avec la permission des parents, le jeune homme, à dix-huit ans et trois mois, la jeune fille, à quinze ans et trois mois, peuvent se marier.

### LE SERVICE MILITAIRE

A vingt ans, le jeune homme doit quitter Peyrane et faire son service militaire, c'est-à-dire en général passer à peu près
15 deux ans dans l'armée, la marine ou l'aviation. Seuls sont exempts les infirmes et les malades gravement atteints. Ceux qui partent se plaignent, mais en même temps ils ne sont pas fâchés de cette rupture avec la monotonie de leur vie, et de cette occasion presque unique de voir d'autres régions de
20 France. La vie rude de l'armée ne les surprend guère. Ils sont habitués à une vie dure. Ce qu'ils détestent surtout c'est l'état de promiscuité et d'anonymat où ils sont jetés. Et ils regrettent la bonne nourriture familiale.

De plus, ce qui ennuie et gêne beaucoup certains d'entre
25 eux, c'est l'âge auquel il faut faire ce service militaire. C'est-à-dire qu'ils aimeraient pouvoir s'établir, se fixer, se marier, deux ou trois ans plus tôt, et qu'il leur faut attendre d'avoir satisfait à cette obligation. Car leur famille ne voit pas d'un bon œil un mariage ni même des fiançailles avant le départ pour le
30 service.

### FIANÇAILLES ET MARIAGE

Il semble qu'en général les jeunes gens préfèrent trouver à se marier en dehors du petit cercle d'amis et de relations qu'ils se sont formé à l'intérieur de la commune. Les «promenades», les visites aux amis de la famille, et surtout les bals en dehors de Peyrane ont en effet étendu leurs connaissances dans toute la région.

Quand un jeune homme a fait son choix, sa conduite et 5 ses intentions deviennent claires pour tout le monde. Au bal, il ne danse plus qu'avec celle qu'il a l'intention d'épouser. Il fait tout son possible pour l'accompagner dans les «promenades». Il lui rend souvent visite chez elle, et il lui apporte peut-être une bouteille de vin de ses propres vignes. La famille 10 le considère bientôt comme l'un des siens. Elle laisse les deux amoureux partir ensemble au bal; après la veillée elle se retire un peu plus tôt que de coutume afin de les laisser en tête à tête.

Au bout de quelques mois, personne n'est surpris d'apprendre que le jeune homme va demander la jeune fille en 15 mariage. Si celle-ci est d'accord, la coutume veut qu'il en fasse la demande officiellement à son père — et la loi l'exige s'ils ne sont pas majeurs.

L'approbation familiale est assurée si deux conditions sont remplies: les deux jeunes gens doivent être à la fois «sérieux» 20 et amoureux. Ici, être amoureux signifie qu'il y a entre les deux aspirants au mariage, passion et compatibilité.

Un mari «sérieux» est celui qui restera fidèle d'abord, mais c'est aussi celui qui essaiera de gagner assez d'argent pour que le ménage puisse vivre décemment. Il ne boira pas trop, et il 25 ne passera pas trop de temps à jouer aux cartes et aux boules. Pour augmenter le revenu de la famille il cultivera un petit jardin en dehors de son travail. Bref, il se conduira et il vivra de façon à s'assurer l'affection de sa femme et de ses enfants.

L'épouse sérieuse est la femme travailleuse, raisonnable 30 et modérée dans ses désirs et ses besoins. Elle tiendra bien son intérieur. Elle saura nourrir et vêtir économiquement sa famille. Elle s'entendra aussi bien que possible avec les voisins et les voisines sans passer trop de temps à bavarder avec les uns et les autres. Elle saura utiliser au maximum 35 l'argent du mari sans pour cela passer pour avare. Si besoin en

77

est, elle aidera aux vendanges, ou bien elle élèvera des vers à soie pour ajouter un peu à la paye du mari. Elle ne dira rien si le mari va au café, pourvu qu'il n'y dépense pas trop d'argent; ou s'il rentre parfois en retard pour les repas. Elle ne laissera
5 pas ses jeunes enfants courir dans les rues; elle les habituera à se tenir propres; elle leur donnera de bonnes manières, et elle leur apprendra à aimer et à craindre leur père.

Comme un mariage tend généralement à rapprocher deux familles, on préfère que celles-ci ne soient pas trop dissembla-
10 bles.

Si les parents de la jeune fille refusent leur consentement, les jeunes gens parfois quittent Peyrane et vont se marier clandestinement à la ville. Et le plus souvent, pour éviter un scandale, les deux familles s'inclinent devant le fait accompli, et
15 elles essaient de faire croire aux gens du village qu'il y a eu un petit malentendu et qu'elles n'ont jamais été vraiment opposées au mariage en question. Personne n'est dupe, mais la face est sauve.

Les fiançailles durent en moyenne de deux mois à un an.
20 Elles peuvent être rompues sans formalités et on attache peu d'importance à cette rupture.

Comme le travail des champs se ralentit fin juin et début juillet, la plupart des mariages sont célébrés à cette époque.

Les formalités légales sont compliquées, car la formation
25 d'une famille est un événement des plus importants en France. Le code civil définit avec précision les droits et les devoirs des époux vis-à-vis des parents et vis-à-vis de la société.

D'abord on publie les bans. Cela veut dire que pendant dix jours l'annonce du mariage envisagé se trouve affichée à la
30 porte de plusieurs mairies: celle des communes où les deux fiancés sont nés, et celle où le mariage doit avoir lieu. Un examen médical précède la publication des bans.

Quatre jours avant le mariage, dernières formalités: les deux fiancés vont ensemble à la mairie où la cérémonie aura
35 lieu: ils y présentent, entre autres documents, leur certificat médical, la preuve que les bans ont été publiés, des certificats

de domicile et des extraits d'acte de naissance — s'ils ne sont pas nés dans la commune.

Un mois auparavant, ils ont fixé les détails de la cérémonie religieuse avec le curé. Car à Peyrane presque tout le monde se marie à l'église, quelles que soient les convictions religieuses 5 personnelles et l'affiliation politique de chacun.

Si la mariée insiste pour qu' «on fasse bien les choses», le marié doit aller à Apt louer un habit ou un smoking. Depuis la guerre, il est vrai, on se contente souvent d'un complet noir en bon état. Tous les hommes de Peyrane en possèdent un, 10 qu'ils portent invariablement à toutes les grandes cérémonies de la vie: baptêmes, mariages et enterrements.

Il ne reste plus au jeune homme qu'à «enterrer sa vie de garçon» dans un grand dîner entre jeunes célibataires. Ce dîner est tout ce qui reste d'une cérémonie qui autrefois, dans 15 certaines régions de France, impliquait un vrai cercueil et un enterrement pour rire de la vie du jeune homme.

Par contre, la fiancée et sa mère sont très occupées par les derniers préparatifs du repas de noces et la confection de la robe de mariée. L'élégance de la longue robe blanche et du 20 voile varie selon la fortune de la famille. Mais pour la noce, la famille n'hésite pas à faire tous les sacrifices nécessaires afin que la mariée soit aussi belle que possible.

## LA NOCE

Le jour du mariage, le cortège se forme et part de chez la jeune fille, pour se rendre à la mairie. Le père de la mariée 25 marche en tête, sa fille à son bras. Les invités suivent, deux par deux. Le marié vient en dernier, sa mère à son bras.

A la mairie, le maire les attend dans la Salle des mariages. En présence d'au moins deux témoins, il rédige l'Acte de mariage sur le Registre de l'état civil. Puis les mariés, les 30 témoins et les parents apposent leur signature sur l'Acte de mariage. Le maire rappelle alors brièvement au couple leurs nouveaux droits et leurs nouveaux devoirs. Il leur indique, entre autres choses, que les parents doivent élever leurs enfants

*Le père de la mariée marche en tête, sa fille à son bras*

aussi bien que possible et qu'ils sont responsables des actes de
leurs enfants. Le maire les reconnaît comme mari et femme.
Il leur donne leur Livret de famille, sur lequel seront désormais
enregistrés les événements officiels de leur vie familiale.

5    Le mariage civil terminé, le cortège se dirige maintenant
vers l'église, les mariés en tête cette fois, le père de la jeune fille
et la mère du jeune homme formant le dernier couple. Le curé
reçoit les engagements des futurs epoux, il bénit les anneaux
et il dit la messe.

10    Les deux cérémonies accomplies, le cortège revient pour
le banquet traditionnel chez les parents de la mariée, à moins
que la famille ne soit assez riche pour s'offrir le luxe du restaurant. Ce repas de noces est toujours un grand et long repas.
Une vieille coutume, assez répandue, veut que vers la fin du

repas un homme se glisse sous la table du banquet et détache
de la jambe de la mariée une jarretière qu'elle s'est mise spécialement pour l'occasion. Tout le monde est au courant et rit
bruyamment. La mariée, un peu gênée tout de même, pousse
des cris. Mais personne aujourd'hui ne sait plus expliquer la 5
signification symbolique de cette tradition.

Pendant le bal qui suit le banquet, les jeunes mariés
s'efforcent de disparaître sans être vus de leurs invités. Si
l'état de leur bourse le leur permet, ils iront passer deux ou
trois semaines à Nice ou sur un autre point de la Méditer- 10
ranée. Certains se contentent de quelques jours chez des
parents ou chez des amis, et d'autres enfin ne font pour
voyage de noces qu'une courte «promenade» à la Fontaine de
Vaucluse.[5]

Quand les jeunes mariés reviennent à Peyrane, ils se 15
rendent vite compte que leur statut a changé. Pour eux l'adolescence est terminée. Ils sont mari et femme maintenant, et ils
doivent désormais affronter sérieusement la vie et toutes ses
difficultés.

## QUESTIONS

1. Pourquoi Jules et Jacques ont-ils eu en juin-juillet plusieurs
semaines agréables? 2. Pourquoi Félix et Georges ont-ils
quitté Peyrane en octobre? 3. Selon les gens de Peyrane,
quelles sont les plus belles années de la vie?

4. Qu'est-ce que la plupart des enfants comptent faire pour
gagner leur vie? 5. Quelle raison Jules Marchal a-t-il donnée,
dans une composition française, pour travailler à la ferme de
son père? 6. Pourquoi certains parents ne s'adressent-ils pas
aux Centres d'orientation? 7. Quels autres travaux les jeunes
gens peuvent-ils trouver à faire à Peyrane en attendant le ser-

[5] Source où la rivière Sorgue jaillit du pied de la montagne; endroit très
beau et pittoresque, rendu célèbre par le fait que Pétrarque y a
rencontré Laure; cette source a donné son nom au département.

vice militaire? Donnez trois exemples. 8. Que font les jeunes filles, pour assurer leur subsistance dans leur famille, entre leur dernière année d'école et le mariage? 9. Quels sont les deux métiers qui semblent les plus populaires?

10. Pourquoi Robert Cavaud est-il allé chercher du travail à Marseille? 11. Expliquez pourquoi les Peyranais désapprouvent la manière dont Robert Prayal a passé son adolescence. 12. Pourquoi a-t-on pitié de Lucien Bourdin? Quelle sorte d'adolescence a-t-il eue? 13. En prenant Gaston Jouvaud comme exemple, expliquez le point de vue des Peyranais quand ils disent qu' «on n'est jeune qu'une fois.»

14. Quand et pourquoi les jeunes gens sont-ils acceptés par les grandes personnes aux parties de cartes et aux concours de boules? 15. Expliquez pourquoi le «Club des Jeunes» n'a pas réussi. 16. Qu'est-ce que le Conseil municipal a fait pour aider le club de football? 17. Comment le sergent, l'organisateur du club de football, a-t-il traité les membres de l'équipe? Qu'est-il arrivé au club?

18. Quels sont les deux bals annuels importants de Peyrane? 19. Où les jeunes gens et les jeunes filles vont-ils danser chaque semaine? 20. Comment commence chaque bal? 21. Qui va à ces bals? 22. Comment la plupart des gens dansent-ils? 23. Que font certains jeunes, pendant la soirée, au lieu de danser?

24. Dans le Midi de la France, qu'entend-on par une «promenade»? 25. Donnez deux exemples de promenades que vous faites vous-même de temps en temps.

26. Comment les grandes personnes envisagent-elles que l'adolescence doive se passer? 27. On parle beaucoup du travail de tous les jours; de quoi parle-t-on encore davantage? 28. Vers l'âge de 14 ou 15 ans, est-ce que la personnalité est bien marquée? Pourquoi? 29. La docilité et le conformisme des enfants, à quoi sont-ils dûs? 30. Pourquoi les grandes personnes ne sont-elles pas satisfaites de cet état de choses? 31. Donnez un exemple montrant la distance qui sépare le code de vie idéal, tel qu'il est enseigné à l'école et dans la famille, de celui qui gouverne la façon de vivre des adultes. 32.

Qu'est-ce que les Peyranais attendent de cette période de tâtonnements et de découvertes qu'est, selon eux, l'adolescence? 33. Comment concevez-vous vous-même et pour vous-même cette période de 14 à 18 ans?

34. Quels sont, pour vous-même, les âges où vous pouvez obtenir légalement: 1) un permis de chasse? 2) un permis de conduire? 3) l'autorisation de vous marier? 35. Quelle est la durée moyenne du service militaire obligatoire en France? 36. Quelles sont quelques-unes des réactions des jeunes conscrits?

37. Quand les gens du pays savent-ils qu'un jeune homme a l'intention d'épouser une certaine jeune fille? 38. Qu'est-ce qu'un mari «sérieux» à Peyrane? 39. Qu'est-ce qu'une épouse «sérieuse» à Peyrane? 40. Si deux jeunes gens vont se marier clandestinement à la ville, que disent et que font leurs familles dans la plupart des cas? 41. Quand la plupart des mariages ont-ils lieu? 42. Quelles sont quelques-unes des formalités légales? 43. Comment s'habille le marié le jour du mariage? 44. Comment s'habille la mariée le jour du mariage? 45. Comment le jeune homme «enterre-t-il sa vie de garçon»? 46. Décrivez le cortège de la noce qui se rend à la mairie. 47. Qu'est-ce que le maire dit aux jeunes mariés? 48. Qu'est-ce que le Livret de famille? 49. Que se passe-t-il à l'église? 50. Où a lieu le banquet? 51. Où les jeunes mariés font-ils généralement leur voyage de noce?

# LE DÉBUT DE LA FAMILLE  **6**

### LE LOGEMENT

Quand Louis Bonerandi et Françoise Borel se sont fiancés, ils croyaient se marier bientôt. Mais pendant des mois ils ont cherché en vain une maison à louer. Finalement ils ont accepté la solution suivante: se marier et habiter provisoirement chez 5 les parents de Françoise, en attendant de se trouver une maison à eux.

Personne à Peyrane n'estime cette situation idéale. Mais d'autre part, il faut bien se marier un jour, et les fiançailles ne peuvent traîner indéfiniment.

10 Quand leur premier bébé est arrivé, Louis et Françoise n'avaient point trouvé de maison, et la situation provisoire où ils se trouvaient depuis un an est devenue permanente. Louis et son beau-père ont alors construit deux pièces derrière la maison des Borel, et les deux familles se sont peu à peu faites 15 à leur vie en commun. M^me Borel s'occupe du bébé. Françoise travaille pour son oncle, le tailleur, qui habite à côté, et Louis travaille avec son beau-père. En somme les deux ménages vivent harmonieusement, mais personne ne voit là une vraie solution.

20 Chose curieuse, cette crise du logement est tout à fait paradoxale. Car, d'une part, un tiers des maisons de Peyrane sont inhabitées, et d'autre part aucune de ces maisons vides ne peut être utilisée par les gens du pays. En effet, à cause d'une législation défavorable aux propriétaires, ceux-ci n'ont

aucun intérêt à louer. Ils ne cherchent donc qu'à vendre, et à des prix qui dépassent les possibilités financières des gens du pays. Les maisons restent donc inhabitées et les jeunes sont mal logés.[1]

De toute façon, toutes les maisons de Peyrane sont vieilles, sauf deux, celle que le maçon a construite pour sa propre famille, et celle du notaire, à l'entrée du village. Toutes les autres ont de cent à deux cents ans. La plupart d'entre elles sont à un étage. Les murs sont peints en ocre de nuances

[1] Voir dans le chapitre 15 la profonde transformation observée en 1959 à cet égard.

*La maison neuve du maçon*

85

variées. Les toits sont faits de tuiles romaines, avec sur les
bords de grosses pierres qui empêchent le mistral de les em-
porter. Dans le village, toutes les maison se serrent les unes
contre les autres. Quelques-unes possèdent des cours ou des
5 jardins par derrière.

Pour un étranger qui ne fait que passer, toutes ces maisons
se ressemblent. Mais à l'intérieur, elles sont très différentes les
unes des autres. De deux maisons apparemment identiques,
l'une est propre et en bon état, tandis que l'autre est sale et sans
10 le moindre confort. L'une possède une cour qui baigne au
soleil tout l'hiver, tandis que la voisine a une cour mal exposée,
froide et humide.

Dans chaque maison, la pièce principale s'appelle «la
salle». C'est à la fois le salon, la salle à manger et la cuisine.
15 Au milieu de «la salle» se trouve une grande table recouverte
d'une toile cirée, avec au-dessus une ampoule électrique qui
pend du plafond avec un abat-jour décoré de franges ou de
perles. Plusieurs chaises droites. Le long du mur, un buffet.

*Une vieille ferme*          *La rue de la Poste*

Les meubles ne sont ni anciens ni neufs. Aux fenêtres, de simples rideaux; pas de tentures. Sur les murs, qui semblent nus, sont fixées quelques photos ou des gravures représentant des scènes de forêts ou de montagnes. Il y a peut-être, encadrés sommairement, un Certificat d'Études Primaires et un 5 Certificat militaire de bonne conduite. Il y a toujours près de la fenêtre, sur le manteau de la cheminée ou sur la machine à coudre dans un coin de la pièce, un petit appareil de radio. Le dessus de la cheminée est encombré d'objets variés: des jarres contenant des épices, un calendrier, une grande photographie 10 de mariage, des boites métalliques, un vase de fleurs artificielles. Devant l'âtre, souvent condamné par une plaque, on a placé un poêle à bois.

La «salle» peut donner une impression de nudité. Elle donne certainement une impression d'ordre et de propreté. 15 Mais personne ne songerait à trouver les maisons du village, sauf celles du notaire et du maçon, particulièrement jolies et confortables.

A l'école, Jules Marchal a rendu la composition suivante sur ce sujet:
20

Quelle est la plus belle maison que vous connaissiez? Pourquoi? La plus laide et pourquoi? Dans quelle sorte de maison aimeriez-vous habiter quand vous serez plus grand?

La plus belle maison est celle du notaire. Elle est belle parce que son revêtement en stuc est d'un beau rouge sombre. Il y a des fleurs tout autour, et de belles roses en été. A l'intérieur les murs sont peints et le carrelage reluit.

La maison la plus laide est celle des Charrin, parce que la cuisine se trouve juste à côté de la vache, et il faut escalader une échelle pour monter à la chambre à coucher. La maison où habitent les Arabes est laide aussi, parce que les murs sont lézardés, les planchers s'écroulent, et tout y est sale.

Quand je serai grand, j'aurai une maison avec un beau revêtement en stuc; elle sera bien exposée au midi; elle aura de belles fenêtres et des fleurs tout autour. A l'intérieur il y aura une salle à manger avec un sofa et une lampe électrique colorée. Dans la cuisine il y aura de l'eau chaude. Et ma maison aura des W.C.

Beauté et confort vont avec la richesse, mais toute femme peut tenir sa maison propre et en ordre, et c'est là-dessus qu'elle est jugée comme ménagère et femme d'intérieur.

Le fait qu'on tient ici à la propreté ne signifie pas néces-
5 sairement qu'on se préoccupe beaucoup de l'hygiène. Les maisons de Peyrane toutefois sont saines; les grandes lois de l'hygiène y sont respectées. Il n'y a pas de plancher de bois, mais du carrelage, meilleur marché et plus résistant que le bois. Le carrelage est plus frais l'été, et plus facile à tenir
10 propre. Mais c'est par pure coincidence que ces caractéristiques sont celles d'une bonne hygiène.

On ne se préoccupe pas davantage des W. C. Dans la plupart des cas ce sont des cabinets extérieurs à la maison, et des plus primitifs.[2]
15 L'enlèvement des ordures ménagères se fait normalement et régulièrement par les soins d'un employé de la commune, mais dans beaucoup de maisons, situées sur le bord de la colline, il est tout aussi simple de jeter ses détritus du haut de la falaise.[3]
20 Les gens de Peyrane ne sont pas particulièrement désireux de moderniser leur équipement ménager. Ils admirent chez le notaire le confort de sa maison, et ils disent qu'ils l'installeraient bien chez eux s'ils avaient l'argent nécessaire. A vrai dire, la plupart d'entre eux n'ont pas les moyens de se payer
25 des salles de bain et des cuisines modernes, mais il est vrai aussi que quelques familles riches n'ont aucun confort. L'indifférence est donc parfois le facteur déterminant, et non pas le

[2] Noter, dans le chapitre 15, la modernisation des salles de bain, en 1959.
[3] Ceci ne peut plus se faire en 1959 à cause du caractère nouveau du village: voir chapitre 15.

*M<sup>me</sup> Prayal lave la salade à la fontaine publique*

manque d'argent.[4] Il faut ajouter aussi ce que disent les institutrices et le docteur, à savoir que toutes les fois qu'une famille possède assez d'argent pour améliorer les conditions sanitaires de son habitation, elle l'utilise à d'autres fins. Elle place, par exemple, cet argent de façon à accroître son capital, 5 sans toutefois attirer l'attention sur sa nouvelle prospérité, ce qui risquerait de lui occasionner une augmentation d'impôts.

Les Américains qui voudraient s'installer à Peyrane et y vivre heureux devraient s'accoutumer peu à peu au manque de confort. La «salle», étant la seule pièce un peu chauffée 10 en hiver, devient vite la pièce la plus habitée de la maison. Par

[4] En 1959, les Peyranais semblent beaucoup moins indifférents: voir chapitre 15.

temps de mistral, on abandonne même les chambres à coucher et la «salle» devient à la fois salon, bureau, cuisine, salle à manger, chambre à coucher et cabinet de toilette. Et on s'aperçoit que les bains et les douches sont moins nécessaires qu'on
5 ne le croyait!

Pendant l'été il n'y a plus besoin de se serrer les uns sur les autres. On n'allume le feu que pour faire la cuisine. La famille vit alors beaucoup dehors, autant que possible au soleil. Mais pendant les long mois d'hiver, tout le monde se resserre
10 dans la «salle», autour du foyer. C'est ce qui explique que le mot «foyer» est probablement la meilleure traduction du mot anglais «home».

## LA FAMILLE

Il y a peu de ménages sans enfants à Peyrane. L'un de ces couples, épiciers, qui a toujours aimé les enfants, se
15 lamente chaque jour de n'en pas avoir. Et bien qu'il sache qu'il n'en aura jamais, il ne se résigne point à son sort. Mari et femme sont amers, et ils passent leur amertume sur les enfants du village qu'ils accusent sans cesse d'être mal élevés:

«Ah, si j'avais des enfants, dit l'épicière, ce n'est pas comme
20 ça que je les élèverais! Quand je donne des bonbons à ceux qui viennent à l'épicerie, ils ne me disent même pas merci!»

Le gouvernement ajoute à l'infortune de ce couple. Car, ménage sans enfants, ses impôts sont plus élevés que pour les familles nombreuses, familles auxquelles le gouvernement ac-
25 corde des allocations familiales proportionnées au nombre d'enfants.[5] Ce qui fait dire à la pauvre épicière:

«Le gouvernement encourage les gens à vivre comme des

---

5 On appelle «famille nombreuse» toute famille de trois enfants ou plus. Pour le premier bébé, les jeunes parents reçoivent, en 1959, $120 environ en trois versements: au quatrième mois de la grossesse, à la naissance, et lorsque le bébé a six mois. Pour le second bébé, né dans les trois ans qui suivent le mariage, la prime est d'une cinquantaine de dollars. Et ensuite, pour toute naissance, tous les deux ans: $50 environ également. Enfin, pour chaque enfant de moins de 16 ans, les parents reçoivent chaque mois environ de cinq à dix dollars Voir aussi pp. 96, 99, et 100.

bêtes. Regardez nos voisins. Ils ont cinq enfants. Le père ne fait rien. Tout son travail consiste à passer régulièrement à la Caisse des allocations familiales pour toucher l'argent du gouvernement, l'argent de nos impôts! Et puis, quand ils l'ont gaspillé, je ne sais comment, ils viennent chez nous faire leurs 5 provisions, et à crédit encore! Après tout, leurs pauvres gosses, il faut bien qu'ils mangent! Mais on a bien tort d'avoir pitié de ces bons à rien!»

A Peyrane, il n'y a pas plus de quatre ou cinq familles de ce genre, instables, imprévoyantes et irresponsables. Et d'autre 10 part parmi les familles nombreuses il y en a deux qui sont fort respectables et respectées. On dit d'elles que ce sont de «belles» familles. L'une d'elles, famille de catholiques pratiquants, vient de la ville et représente le mouvement du «retour à la terre». Mouvement qui cherche aussi à ramener un peu 15 de religion dans les campagnes devenues indifférentes aux choses de l'Église. Peu de gens à Peyrane partagent l'idéal de cette famille, mais tous la respectent et admirent ses quatre jeunes et beaux enfants.

L'autre famille, très respectable et respectée aussi, est 20 celle du président de la Coopérative de machines agricoles: elle a neuf enfants, huit filles et un garçon.

Il serait faux de chercher à expliquer par les allocations familiales l'existence de la plupart des familles nombreuses. Les allocations familiales permettent seulement aux parents — 25 qui de toutes façons auraient eu beaucoup d'enfants — de les élever un peu mieux et plus facilement.

La religion ne semble pas non plus influencer beaucoup le nombre des naissances. A Peyrane, la plupart des parents de familles nombreuses sont des communistes militants. La 30 plupart des catholiques pratiquants n'ont que deux ou trois enfants, ce que l'on considère ici comme le chiffre idéal.

Pour la jeune femme, le fait d'être enceinte ne modifie guère sa vie de tous les jours. Si elle a l'habitude de travailler en dehors, elle n'abandonne point son travail sauf si elle tombe 35 malade, auquel cas toutes les voisines sont prêtes à lui porter

secours. Petit à petit la layette du bébé se prépare. Et à peine la naissance a-t-elle eu lieu que tout le monde à Peyrane est au courant de l'événement. Et même ceux qui auparavant n'étaient pas en très bons termes avec les nouveaux parents
5 semblent heureux d'apprendre la nouvelle. «Voilà», dit-on, «le commencement d'une belle petite famille.»

Et bientôt la vie normale reprend pour tout le monde. Les jeunes parents découvrent vite ce que la vie de famille exige de travail, de sacrifices et de privations. Tout le monde
10 recherche une certaine tranquillité et le bonheur. Tout le monde veut des enfants. Tout le monde les aime. Et pourtant, quoi de plus décevant que les enfants?

«S'ils ont la santé, dit la boulangère, ils vous font enrager; s'ils ne l'ont pas, vous vous tourmentez perpétuellement.»
15 Au fur et à mesure que les enfants arrivent, les jeunes parents voient leur liberté diminuer, et leurs charges et leurs responsabilités s'accroître. N'y pouvant rien, ils acceptent leur sort. Mais cela ne les empêche pas de se joindre au chœur de tous les autres parents, et de se plaindre et se lamenter à
20 propos de tous les soucis que les enfants leur causent. Ils s'en plaignent comme l'on se plaint du temps qu'il fait. Cela les soulage. Après tout, ce n'est pas toujours agréable de passer son temps à nourrir, laver et discipliner ce petit monde. Alors, pour se consoler un peu, on en parle beaucoup.

## QUESTIONS

1. Pourquoi les fiançailles de Louis et de Françoise ont-elles duré si longtemps? 2. Quelle solution les fiancés ont-ils été obligés d'accepter? 3. Après la naissance du bébé, qu'est-ce que M. Borel et son gendre ont construit? 4. Où et pour qui Françoise travaille-t-elle? 5. Analysez et expliquez la crise du logement à Peyrane. 6. Pourquoi et à quels prix les propriétaires cherchent-ils à vendre leurs maisons? 7. Quel âge ont la plupart des maisons? 8. Pourquoi y a-t-il de grosses pierres sur les toits? 9. Qu'appelle-t-on la «salle»? 10. Dé-

crivez une «salle» typique. 11. Comment est-elle chauffée et éclairée? 12. Pourquoi la maison du notaire est-elle la plus belle et la plus confortable? 13. Montrez comment les Peyranais respectent, sans le savoir, les grandes lois de l'hygiène. 14. Quelle sorte de cabinets trouve-t-on au village en 1951? 15. Comment se débarrasse-t-on des ordures ménagères en 1951? 16. Donnez les diverses raisons pour lesquelles les Peyranais ne modernisent pas leur équipement ménager. 17. La famille qui a fait quelques économies, comment utilise-t-elle son argent? 18. En hiver et par temps de mistral, que devient la «salle»? 19. Pourquoi le mot «foyer» traduit-il bien le mot «home»?

20. Pourquoi l'épicière se plaint-elle des enfants du village? 21. Qu'est-ce que l'épicière pense des allocations familiales? 22. Quels sont les buts théoriques et pratiques des allocations familiales? 23. Que pensez-vous vous-même du principe des allocations familiales? 24. Quelle réflexion générale la boulangère fait-elle sur les enfants?

# COMMENT GAGNER SA VIE
## ET «JOINDRE LES DEUX BOUTS» 7

Le principal souci des gens de Peyrane — comme celui, bien sûr, des gens un peu partout dans le monde — est d'arriver à «joindre les deux bouts». La vie est chère ici, et les salaires sont bas. Il en résulte que tous essaient, d'une façon
5 ou d'une autre, d'augmenter le revenu familial régulier.

Au fond, ils y réussissent assez bien. Ils se plaignent d'être pauvres, mais personne n'est dans la misère. Ils ont tous de quoi s'abriter, de quoi s'habiller et de quoi manger. Le touriste qui voit les gens en «promenade» ou sur le pas de leur
10 porte, le dimanche après-midi, aura même peut-être une impression de prospérité. Le père porte son beau complet noir et son beau chapeau noir, la mère une robe simple mais très seyante; et les enfants — surtout les plus jeunes — sont gentiment habillés. Comparés aux habitants d'autres régions de
15 France moins privilégiées, comme certains coins de Bretagne, les gens de Peyrane jouissent d'une certaine sécurité économique et ils mènent une vie assez confortable. Cependant leur bien-être et leur sécurité sont relatifs: ils ne les obtiennent qu'avec beaucoup de travail et une vigilance et un effort
20 constants.

### LE COÛT DE LA VIE

La nourriture, qui comme partout en France constitue la part la plus importante du budget familial, coûte cher. Si l'on

94

convient de $2.00 pour 1000 francs, voici le prix des principaux aliments: [1] le pain coûte quinze «cents» la miche; le sucre, quinze «cents» la livre; [2] l'huile d'arachide, soixante-dix «cents» le litre; [3] l'huile d'olive, $1.50 le litre; le fromage du pays, quarante-cinq «cents» la livre. Pour trois denrées essentielles — le pain, l'huile et le vin — une famille de quatre personnes doit dépenser environ $15.00 par mois. Uniquement pour la nourriture, une famille de quatre personnes dépense à peu près $60.00 par mois.

La femme du facteur, par exemple, Madame Favre, estime qu'il lui faut $3.00 par jour pour nourrir sa famille de six personnes, dont trois jeunes garçons et une jeune fille. Mais elle ne tient pas compte des œufs, des poulets, des lapins et du fromage que la famille produit ou élève elle-même.

Le loyer est la dépense la moins élevée du budget familial. Personne à Peyrane ne se plaint de payer trop cher son logement.

Les vêtements par contre sont chers. Certains même coûtent plus chers qu'aux États-Unis. Toutefois on porte surtout des vêtements du genre de ceux qu'on trouve en Amérique dans les «Army and Navy Stores», ou de ces grands magasins qui ne vendent que sur catalogue et par correspondance.

Le chauffage revient cher dans cette région où il n'y a ni mines de charbon, ni forêts épaisses. Le bois coûte $9.00 la tonne, les briquettes de charbon $1.50 le sac de cinquante kilos. La bonbonne de gaz, c'est-à-dire la consommation mensuelle en été pour la cuisine, coûte $3.00. L'électricité, six «cents» le kilowatt heure.

Certaines familles limitent leurs dépenses à l'essentiel.

---

[1] En 1959, $1.00 vaut en effet 493 francs; en 1951, il fallait $3.00 pour faire environ 1000 francs, mais le coût de la vie, en francs, ayant monté sensiblement, le coût réel en dollars demeure à peu près le même qu'il y a huit ans.

[2] La livre vaut 500 grammes, tandis que la «pound» ne vaut que 454 grammes.

[3] Un litre, ou «French quart» vaut «1000 cubic cm.» c'est-à-dire environ «1¾ pints».

Mais la plupart des gens se réservent quelque argent pour les distractions. Le cinéma, à Peyrane, coûte quinze «cents». La participation à un concours de boules ou de belote, vingt-cinq «cents». Au café, le moindre verre coûte dix «cents», et il faut
5 compter, bien sûr, sur plusieurs tournées, c'est-à-dire être prêt à payer au moins trois ou quatre verres. A la maison, si on offre une tasse de café à ses invités, la livre de café coûte $1.25. Les cigarettes les moins chères, les «Gauloises», coûtent vingt «cents» le paquet. Le car, pour aller à Apt, quinze «cents».
10 Et l'essence pour l'auto, soixante-dix «cents» le «gallon».

### LES SALAIRES

Par opposition au coût élevé de la vie, le revenu moyen du Peyranais est bas, bien qu'on ne puisse jamais le fixer exactement. Car personne n'aime en parler. Le Fisc et le percepteur sont souvent obligés de se contenter des «signes extérieurs» de
15 la richesse pour déterminer l'impôt.

Ce calcul, de plus, est compliqué par le fait des lois sociales en France. En effet, pour connaître le montant exact de chaque revenu familial il faut tenir compte des sommes d'argent que la famille reçoit du gouvernement à titre d'alloca-
20 tions familiales, allocations-salaire unique, indemnités de logement, prestations médicales, etc. Toutes ces primes et prestations font désormais partie de la vie économique. Quelques ouvriers, dans les catégories de travail les plus basses, reçoivent même parfois un peu plus du gouvernement que de leur em-
25 ployeur.

Les travailleurs les mieux payés sont les instituteurs — et les institutrices — qui reçoivent environ $90.00 par mois, plus un appartement gratuit dans l'école. Les $40.00 que reçoit le secrétaire de mairie représentent à peu près le salaire moyen
30 d'un travailleur, non compris les prestations et allocations familiales. Cet argent liquide — environ $60.00 — se trouve à peu près entièrement utilisé pour l'alimentation de la famille. Ce qui explique pourquoi les gens ont des soucis d'argent, et

*François Favre, facteur titulaire,*
*exerce aussi le métier de plombier*

pourquoi ils parlent constamment de vie chère. Comment
font-ils donc pour «joindre les deux bouts»?

Le problème est sérieux, mais moins grave qu'il n'en a
l'air, car salaires et prestations ne sont pas les seules ressources des familles. De nombreux services et produits sont 5
constamment échangés en guise de paiements.

François Favre, le facteur, par exemple, outre sa paie
des P.T.T.,[4] reçoit de petits cadeaux pour les innombrables

[4] L'administration nationale des Postes, Télégraphe et Téléphone.

services qu'il rend en ami, généreusement et bénévolement, au cours de sa tournée quotidienne à travers la commune.

On le charge en effet de toutes sortes de commissions pour les uns et pour les autres: on le prie d'apporter du riz à 5 Madame Chanon qui est malade; le secrétaire de mairie le charge d'annoncer une réunion de parents d'élèves, etc.

A son métier de facteur, François ajoute ceux de plombier et d'électricien pour toute la commune. S'il avait le temps de faire tout ce qu'on le supplie de faire, il serait un des hommes 10 les plus riches du pays. Mais comme les jours n'ont que vingt-quatre heures, et comme il a trois métiers, François ne peut pas tout faire: il ne s'acquitte que de quelques-unes des tâches qu'on lui propose. Toutefois, quand il finit le travail commandé, quand il est payé, son revenu familial s'accroît d'une 15 façon substantielle.

Le gouvernement apporte aussi à la famille Favre l'aide suivante: pour ses trois jeunes garçons, François reçoit un chèque égal à 50% du salaire minimum de base attribué à la zone où se trouve Peyrane. De plus, pour sa femme enceinte, 20 il recevra bientôt une allocation prénatale. Et pour ses quatre enfants il recevra des allocations se montant à 80% du salaire minimum de base de la région.[5]

Suzanne, la femme de François Favre, est une des meilleures ménagères et une des meilleures mères de famille de 25 Peyrane. Elle tient sa maison toujours propre. Ses enfants sont bien habillés et bien élevés. Elle s'occupe beaucoup d'eux. Elle a aussi une vraie basse-cour: elle élève des lapins et des poules.

Pour ses enfants elle tricote et fait beaucoup de couture, 30 et c'est elle qui se charge de gagner l'argent nécessaire pour acheter les chaussures et les tissus.

Pendant les vendanges et la saison des asperges, Suzanne travaille huit heures par jour dans une ferme. Elle emmène son enfant de trois ans avec elle, et les aînés déjeunent à la 35 cantine de l'école.

[5] Voir chapitre 6, note 5, page 90.

*Suzanne Favre . . . une des meilleures ménagères de Peyrane*

D'autre part, Suzanne doit faire attention à ne pas gagner
trop. Car si elle gagnait plus de 50% du salaire minimum de
base de la région, le mari ne pourrait plus bénéficier de l'allocation de salaire unique. Et aussi longtemps que François
reste le seul salarié de la famille, il reçoit du gouvernement 5
une somme égale à 50% du salaire minimum de base de la
région, en plus des autres allocations familiales.

A la fin de l'hiver et au printemps, Suzanne élève aussi
des vers à soie, ce qui l'oblige à faire chaque jour un ou deux
kilomètres pour trouver les feuilles de mûriers nécessaires à 10
leur nourriture.

François et Suzanne possèdent enfin, à un kilomètre du
village, des cerisiers dont ils ont hérité récemment. En juin,
quand les cerises sont mûres, Suzanne va les cueillir avec ses
enfants après la classe. François y vient, son travail fini, avec 15
une petite charrette à bras. Il charge les paniers de cerises sur
la voiture, et il la pousse jusqu'en haut de la colline, chez

Monsieur Borel, qui se chargera de vendre les cerises au marché d'Apt le lendemain.

Aucun travail ne paraît trop pénible à Suzanne. Quand son mari est malade, c'est elle qui, à bicyclette, fait la dis-
5 tribution du courrier à sa place à travers la commune, une tournée de près de vingt kilomètres.

Ensemble donc, François et Suzanne réussissent à joindre les deux bouts et à élever convenablement leurs enfants. Cela demande du travail, mais Suzanne ne se plaint pas parce que
10 «la vie est ce qu'elle est, surtout pour les femmes».

### ÉMILE PIAN

Émile Pian est un mari modèle. Comme maçon, il gagne $3.00 par jour. Il ne manque jamais une journée de travail. Personne n'est plus sérieux que lui. Il ne va presque jamais au café. Il ne joue jamais aux cartes ni aux boules. Le dimanche,
15 et le soir après son travail, il va à huit cents mètres du village cultiver un terrain dont il est en partie propriétaire et en partie locataire. Sur le coin qu'il loue il fait pousser tous les légumes dont sa famille a besoin. Sur la terre qu'il possède, il a une vigne, où, dans les bonnes années, il récolte assez de raisin
20 pour se faire tout le vin dont il a besoin pour sa famille. Parfois même, selon une recette de son oncle et avec des herbes que sa femme connaît, il se fabrique quelques bouteilles de vermouth. Il se prépare aussi, pour les grandes occasions, un peu de vin mousseux, en ajoutant du sucre dans des bouteilles de
25 vin non complètement fermenté.

Comme seul salarié du ménage, il est vrai qu'Émile reçoit, en allocation de salaire unique, un chèque de 20% du salaire minimum de base de la région. Mais bien qu'Émile ait un bon métier, et que dans ses loisirs il produise le vin et les légumes
30 dont il a besoin pour sa famille, son revenu est encore insuffisant.

Madeleine, comme Suzanne Favre, travaille ses huit heures par jour à la saison des asperges et des vendanges, et elle élève autant de vers à soie qu'elle le peut. Le reste de l'année, quand elle n'a pas de travail fixe, elle part presque chaque après-midi, à travers champs et bois, à la recherche de quelque chose de bon et d'utilisable: des champignons à l'automne, du bois mort pour le chauffage, de l'herbe pour les lapins, etc. 5

Le couple doit aussi aider les parents de Madeleine, Marie et Mario Fratani, tous deux de santé précaire. Mario, le père, travaille irrégulièrement dans les carrières d'ocre, mais il s'arrange pour aller de temps en temps tuer les cochons que les gens du village élèvent pour leur propre consommation. 10

Un autre ouvrier des carrières élève et vend des appelants aux chasseurs. Sa femme est chargée du nettoyage et de l'entretien de l'hôtel de Peyrane. Le propriétaire d'un café peu prospère fait des journées dans les carrières. Madame Grandgeon prend des travaux de couture à faire chez elle. Arène 15 s'acquitte de ses impôts en travaillant trois semaines par an sur les chemins de la commune. Au garage, le mécanicien, Ricci, bien que célibataire, a tout de même besoin de ressources supplémentaires: il aide donc à la cueillette des cerises et des asperges, et il les transporte au marché de Cavaillon. On le 20 paie souvent en nature: les uns lui donnent de la viande, d'autres des légumes, le cafetier quelques verres.

Chez les cultivateurs, les transactions et les échanges sont encore plus nombreux que chez les artisans et les petits commerçants. 25

### IL FAUT A TOUT PRIX RÉDUIRE LES DÉPENSES.

Chaque membre de la famille essaie de contribuer de quelque façon à la caisse familiale. Mais cela ne suffit pas. Il faut aussi par tous les moyens réduire les dépenses. Cette nécessité marque fortement tous les instants et tous les gestes de la vie quotidienne. 30

Dans le budget familial, la nourriture tient la plus grande place. Tout le monde y attache tant d'importance qu'il est très difficile de réaliser des économies dans ce domaine. Elle constitue un des principaux sujets de conversation. Et les

*Raymond Arène dans son épicerie*

gens ont autant de plaisir à en parler que du temps et des vicissitudes de la vie — tandis que la politique les dresse souvent les uns contre les autres. On échange entre femmes, des recettes de cuisine. Au café, entre hommes, on compare les
5 différentes façons de rôtir des grives. Les gens de Peyrane ne mangent pas simplement pour satisfaire leur faim. Manger, pour eux, est une des choses qui font que la vie vaut la peine d'être vécue.

La mère de famille a donc une tâche particulièrement
10 délicate. Car elle doit à la fois satisfaire les goûts — difficiles — de tous, et en même temps dépenser le moins possible. Ce n'est donc pas simple coïncidence si les plats populaires sont

composés d'ingrédients bon marché. Mais, d'autre part, la préparation de ces plats prend généralement beaucoup de temps. Et même si la mère de famille ne travaille pas en dehors, elle se trouve déjà fort occupée par les enfants, la maison, la couture, le nettoyage, la lessive, les poules et les 5 lapins.

Le petit déjeuner est un repas simple: un bol de lait chaud avec un peu de café brûlant pour le colorer. On trempe du pain dans le bol, ou bien on le mange avec du miel et de la confiture. Les hommes qui ont un gros travail physique à 10 fournir, ne se contentent pas d'un bol de café au lait. Il leur faut une soupe épaisse, des saucisses et du fromage, et un bon verre de vin à la place du café.

Le repas principal est le déjeuner. C'est parfois de la viande, ou à la place de la viande un plat consistant de maca- 15 roni, ou de nouilles ou de riz, ou de pommes de terre, le tout accompagné d'œufs. Comme entrée ou hors-d'œuvre, on a souvent un légume vert à l'huile et au vinaigre. Pour dessert, du fromage et des fruits ou bien de la confiture. Le soir, au dîner, on sert une bonne soupe solide, de la salade fraîche, et 20 on termine encore une fois avec du fromage et des fruits.

Aux trois repas et aux deux goûters du matin et de l'après-midi, on mange beaucoup de pain. Tout le monde préfère les miches longues et minces, parce qu'elles ont beaucoup de croûte, mais on achète plutôt les grosses miches parce 25 qu'elles sont plus économiques.

Presque tout le monde boit du vin. L'eau du village provient de sources dans la montagne. Elle est excellente, mais elle passe pour fade. Même ceux qui ne veulent pas boire de vin pur, en mettent quelques gouttes dans leur eau pour lui 30 donner du goût.

Le régime alimentaire de Peyrane est sain, bien que riche en féculents et pauvre en protéine. Cette déficience — faute de viande — est compensée en partie par la protéine qui se trouve dans les œufs et le fromage. A la place du beurre, 35 qui coûte cher, on utilise beaucoup d'huile dans la cuisine. Le sucre est utilisé avec modération parce qu'il est cher. Enfin, fruits, légumes verts et salades fraîches donnent toutes les vitamines voulues.

Une pareille analyse de leur alimentation ferait bien rire 5 les gens de Peyrane. Selon eux, toute personne saine ne mange que pour le plaisir qu'elle en tire. A vrai dire, il semble que les gens soient moins difficiles qu'ils ne l'étaient autrefois. Par suite de la cherté de la vie et de certains progrès techniques, ils en arrivent à préférer trop souvent le médiocre à la qualité.

10 C'est ainsi qu'en plein pays d'oliviers et d'olives, l'huile d'arachide, venue d'Afrique du Nord mais meilleur marché, est préférée à l'huile d'olive.

Le goût du bon vin semble aussi plus rare qu'autrefois. Les producteurs portent leurs raisins à la Coopérative vinicole 15 où l'on mélange diverses qualités de raisins. Ceci encourage les vignerons à produire des raisins riches en sucre et en jus. On s'intéresse peut-être moins désormais au parfum et à l'arôme du bon vin. Et la plupart des gens ne boivent que du vin «ordinaire», c'est-à-dire du vin médiocre.

### IL N'Y A PAS DE PETITES ÉCONOMIES.

20 A Peyrane on jette le moins de choses possible. Tout a son prix: les bouteilles vides, le papier de journal et la ficelle. On a bien soin d'apporter une bouteille vide quand on va acheter un litre de vin ou un litre d'huile, sinon il faut ajouter au prix de la marchandise le prix de la bouteille. Chez 25 l'épicier, l'emballage et l'empaquetage sont toujours grossiers: un simple morceau de journal fait souvent l'affaire, et la ménagère doit toujours se munir de filets ou de paniers pour faire ses courses au marché. Même en y mettant le prix, on ne trouverait pas à Peyrane de bonne boîte de carton pour faire un 30 emballage solide.

On est également très économe en matière de vêtements et de tissus. On n'utilise les bons vêtements qu'aux grandes occasions. Les jours ordinaires, on porte ceux qui ne se salissent pas ou ne se déchirent pas facilement. Par temps froid, les

On presse les raisins

On laisse cuver le vin     On le tire et le met en bouteilles

*Les petits propriétaires fabriquent le vin
nécessaire à leur consommation personnelle*

vêtements de laine des enfants sont protégés par un sarrau (une blouse) de coton bon marché et lavable. Sans cesse les femmes font du raccommodage et mettent des pièces. Sur les habits de travail, on estime que les pièces n'ont pas d'impor-
5 tance, et il y en a parfois plus que de tissu d'origine.

D'autre part, les vêtements devenus trop petits pour les uns passent aux frères et sœurs plus jeunes. Ils passent d'une famille à une autre, d'une génération à l'autre. Les vêtements de tricot sont parfois détricotés et la même laine tricotée à
10 nouveau. Les chaussures de tous les jours sont portées indifféremment par les uns et par les autres jusqu'au moment où elles tombent littéralement en pièces, et alors le cordonnier s'arrange pour les remettre en état. L'été, beaucoup de gens portent des «espadrilles» (des chaussures de toile à semelle de
15 corde). Pendant la mauvaise saison, les enfants de la campagne portent de grosses chaussures armées de clous et de fers par-dessous et sur les côtés: des chaussures pratiquement inusables.

Quand les membres d'une famille désirent s'habiller pour
20 une occasion spéciale, ils en ont les moyens. Mais dans la vie quotidienne, il s'agit avant tout — et il suffit — de se bien protéger et de ne pas avoir froid.

En hiver il est particulièrement important d'être bien couvert, car les maisons sont froides. Les cheminées proven-
25 çales sont très grandes, mais on n'y voit jamais de grands feux. C'est à la fois par mesure d'économie et par habitude. On n'aime pas que les pièces soient vraiment chaudes. Il suffit que l'humidité en soit chassée et qu'elles ne soient pas glaciales. Bien entendu la nuit, et le jour si l'on s'absente, on éteint le
30 feu.

Pour la cuisine, on utilise des petits poêles à anthracite ou à «petit bois» (c'est-à-dire des branches de chêne de un à cinq centimètres [6] de diamètre et d'environ dix-huit centimètres de long). La plupart des cuisinières ont une bouilloire

[6] Deux centimètres et demi correspondent à peu près à «one inch».

qui fournit un peu d'eau chaude — utilisée avec parcimonie — pour se laver ou pour laver la vaisselle.

Le notaire et sa famille sont à peu près les seuls dont la maison possède un équipement électrique complet: cuisinière, chauffe-eau, et chaudière du chauffage central fonctionnent [5] à l'électricité. Au contraire, tous les gens du village consomment aussi peu d'électricité que possible: pour un poste de radio et une petite lampe au centre de la «salle».[7]

[7] Voir chapitre 15, et noter l'attitude nouvelle des villageois et des cultivateurs de la commune sur ce point.

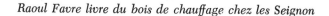

*Raoul Favre livre du bois de chauffage chez les Seignon*

*Un métier dangereux: Jean Davy scie du petit bois*

De même que les autres dépenses, les impôts doivent aussi être réduits au strict minimum. Comme il y a un impôt sur les appareils de radio et sur les chiens, les statistiques officielles portant sur les chiens et sur les radios sont toujours
5 un peu en-dessous de la réalité.

L'aspect souvent délabré de beaucoup de maisons, de fermes, de chemins privés, d'autos, etc, s'explique en partie par le fait qu'il vaut toujours mieux avoir l'air plus pauvre qu'on ne l'est vraiment si on ne veut pas payer trop d'impôts.
10      Il y a quelques cas tout de même où la famille n'hésite pas à faire des frais. Le nouveau-né, par exemple, doit avoir de beaux vêtements et une belle voiture pour la promenade. Toute la famille doit être bien habillée le dimanche après-midi. Elle

doit pouvoir, quand elle invite à dîner, offrir à ses hôtes un repas magnifique. Mais ce n'est que pour de très grandes occasions qu'elle peut se permettre ce genre de dépenses folles. Elle ne cherche pas, comme aux États-Unis, à dépenser et à briller autant que les familles voisines, mais au contraire à 5 toujours dépenser un peu moins que les autres.

Les gens de Peyrane n'attachent pas beaucoup d'importance à la nouveauté des objets ou des instruments dont ils se servent. Il leur faut et il leur suffit que l'objet ou l'instrument fonctionne et fonctionne économiquement. Son aspect ex- 10 térieur importe peu.

Le sens d'économie, l'ingéniosité et la débrouillardise des gens d'une part, et d'autre part l'importance et la non-importance attachées respectivement au bon fonctionnement et à l'aspect extérieur des objets d'usage courant, sont clairement 15 illustrés par ce qui se passe pour les automobiles de Peyrane.

Le département du Vaucluse possède (en 1951) le plus grand nombre de voitures de tourisme par habitant de tous les départements de France (y compris la région parisienne). L'Institut national de statistiques [8] utilise ce fait (et aussi les 20 sommes déposées dans les Caisses d'Épargne [9] et les Bureaux de Poste) pour démontrer que le Vaucluse est un des départements les plus en progrès. Il y a sans aucun doute beaucoup de départements plus pauvres que le Vaucluse, mais il ne faudrait pas aller trop loin et conclure trop hâtivement à la richesse du 25 Vaucluse. Un coup d'œil aux autos de Peyrane expliquera bien des choses.

Il y a à Peyrane deux autos qui ont moins de cinq ans, la grosse Citroën [10] du notaire et le camion du boucher. L'âge moyen des autres voitures est de vingt ans. Tout ce que l'on 30 demande aux autos, c'est de rouler et de remplir le rôle auquel elles sont destinées. Peu importe si la peinture est complète-

[8] Cet Institut correspond, aux États-Unis, au «Bureau of the Census».
[9] Sorte de banque, aux transactions commerciales limitées, et où la sécurité des dépôts est garantie par l'État: «savings-bank».
[10] Citroën, Renault, Peugeot et Panhard sont les quatre plus grandes marques d'automobiles françaises.

La Citroën 1923 de Pascal — deux roues de camion,
une roue de sulfateuse, une roue de voiture de tourisme

Un camion de forain: On met les balançoires derrière,
et l'on couche à l'avant du camion

**Tout ce qu'on demande aux autos, c'est de rouler . . .**

110

ment passée ou si les quatre roues viennent de quatre voitures légèrement différentes.

Un exemple typique est celui de la voiture jadis de tourisme que le propriétaire actuel a transformée en voiture utilitaire. On a scié, par exemple, la carrosserie et on l'a remise 5 en place avec de grosses charnières. Dans une autre on n'a gardé que le châssis, et on a installé, par-dessus, un caisson de bois pour transporter du sable ou du gravier. Ces voitures ne sont point belles ni confortables, mais leurs propriétaires sont satisfaits, car elles font, économiquement, ce qu'on attend 10 d'elles.

Il ne vient pas à l'esprit des gens de Peyrane d'acheter à crédit une nouvelle voiture aussi longtemps qu'on peut utiliser la vieille. De plus, ils n'aiment pas s'endetter. Pour eux, avoir des dettes c'est être l'obligé de quelqu'un, lui donner des droits 15 sur vous, lui permettre de mettre le nez dans vos affaires et de vous critiquer. S'endetter c'est accepter de perdre son indépendance.[11]

Les gens n'aiment pas davantage accepter des services ou des cadeaux quand ils ne sont pas en mesure d'en faire eux- 20 mêmes à leur tour. Et aussi longtemps qu'ils n'auront pas trouvé le moyen de se libérer de leur dette, de retrouver leur indépendance, ils se sentiront très malheureux.

Il faut donc faire attention à qui on fait un cadeau ou à qui on rend un service non sollicité. Qui les reçoit doit pouvoir 25 les rendre sans peine, sinon cadeau ou service causera gêne et déplaisir.

## Exemples d'échecs et de réussites

### LOUIS BOREL

Louis est né dans un petit village de montagne au nord de Peyrane. Après avoir perdu ses parents très tôt, il a quitté sa montagne et il s'est mis à travailler comme il a pu, dans la 30 région. Un peu après vingt ans, sachant à peine lire quelques

[11] Voir pp. 188–189 ce que l'on pense, en 1959, des achats à crédit.

111

chiffres et signer son nom, il est arrivé à Peyrane pour y travailler comme maçon. Il a fait la connaissance de Françoise Béchade. Elle avait son Certificat d'Études Primaires. Ils se sont mariés, et ensemble ils ont prospéré. Sa grande entreprise
5 a été la construction de la maison du notaire. Pendant la guerre, avec son camion, il est allé vendre à la ville les produits des fermes environnantes. Depuis la guerre, avec un plus gros camion, il fait tous les transports de fruits et de légumes au marché de Cavaillon et aux usines de fruits confits à Apt. En
10 hiver, il coupe du bois dans la montagne, il le scie, et il le vend dans le village. Il est le seul marchand de charbon à Peyrane, et c'est lui qui tient la station-service du village.

Évidemment Louis fait bien ses affaires. Mais rien dans sa façon de vivre ne le distingue de ses voisins. Les seuls signes
15 extérieurs de sa richesse résident dans les cuves qu'il construit en face de chez lui, cuves où il pourra stocker des cerises et attendre, pour les vendre, que le marché lui soit favorable.

### MONSIEUR ANSELME

Monsieur Anselme passe pour le cultivateur le plus riche de la commune. Comme Louis Borel il vient d'une famille
20 très pauvre de la montagne. Très jeune, il lui a fallu gagner sa vie. Pendant des années, il a fait à pied chaque matin près de huit kilomètres pour aller travailler dans une ferme dans la plaine, et autant chaque soir pour rentrer chez lui. Il avait une petite maison et un lopin de terre qu'il cultivait avec grand
25 soin tôt le matin et tard le soir. Finalement à l'âge de quarante et quelques années, il avait fait assez d'économies pour pouvoir s'acheter une ferme dans la vallée. Mais rien n'a changé dans ses habitudes. Il a continué à travailler sans répit jusqu'à ce qu'il possédât un des coins les mieux exposés de la vallée. Les
30 raisins de table constituent sa spécialité. A l'époque de la cueillette, il ne se couche plus. Il se fait aider par des ouvriers agricoles qu'il paie bien et auxquels il demande la même somme de travail qu'il fournit lui-même. Il se charge aussi de trans-

porter les raisins à Cavaillon, à vingt kilomètres de là. Avec sa charrette et deux paires de chevaux, il fait deux voyages par jour, un total de quatre-vingts kilomètres.

Anselme a maintenant 73 ans, et rien n'indique qu'il va ralentir son rythme de vie. Il vit isolé et seul. Personne ne va 5 le voir chez lui, et il ne vient au village que s'il a quelque affaire à régler à la mairie. Il ne s'est jamais marié. Récemment, sa belle-sœur, devenue veuve, est venue habiter chez lui. Son frère étant sans enfant, il n'a, pour seule héritière, que la fille de sa sœur, et il ne l'a presque jamais vue. 10

L'histoire de Monsieur Anselme illustre un double idéal pour les gens de Peyrane. Ils admirent chez lui son travail acharné, sa vie frugale, et son esprit d'indépendance. Mais, d'autre part, ils n'arrivent pas à comprendre pour quoi et pour qui Anselme travaille tant. S'il avait des enfants ce serait dif- 15 férent. Louis et Françoise, eux, ont deux enfants, un garçon et une fille. Anselme n'a qu'une nièce qu'il connaît à peine. De plus, les Peyranais estiment qu'il pousse un peu trop loin l'esprit d'indépendance et de détachement vis-à-vis de ses concitoyens. Vivre sans contacts, amicaux ou hostiles, avec 20 les autres, n'est pas vivre. On ne doit pas travailler seulement pour l'amour du travail. Et, s'il est vrai qu'on ne doit pas se mêler des affaires des autres, on ne doit tout de même pas pour cela couper tous les rapports avec eux.

### PAUL ROUSSEL

Louis et Anselme représentent quelques-uns des hommes 25 de la commune qui sont partis de rien et qui ont amassé ce que les autres estiment être une petite fortune. Il ne faudrait point généraliser. Il y a aussi à Peyrane autant de gens qui sont nés avec un peu de fortune et qui l'ont vite perdue ou gaspillée. 30

Ni les uns ni les autres ne sont pleinement représentatifs des gens de la commune. Car la plupart d'entre eux ne dissimulent point d'or dans des cachettes secrètes, et très peu sont

*Un chaudronnier ambulant
passe parfois à Peyrane*

*Les maçons réparent un toit*

*Le boucher tue un cochon
. . . et attire de jeunes
spectateurs*

*Quelques hommes au travail*

114

*Il faut bien que l'artiste gagne sa vie*
*quand ses toiles ne se vendent pas . . .*

*Paul Moiron laboure ses champs*

dans la misère noire. Presque tous travaillent dur pour «joindre les deux bouts» et réaliser si possible quelques petites économies.

Paul Roussel est un assez bon exemple du Peyranais
5 moyen. Il a 65 ans. Il lui a fallu quarante ans de travail assidu pour arriver à économiser de quoi s'acheter sa propre ferme. Son fils, Jacques, 40 ans, travaille avec son père. Maintenant que ses parents et lui ont atteint le but qu'ils s'étaient fixé, il espère se marier et fonder à son tour un foyer. Paul et
10 Jacques ont lutté longtemps, mais sans s'isoler complètement. Ils viennent au village participer aux concours de boules et de belotte, et ils accueillent toujours bien les gens qui passent chez eux les voir.

### POURQUOI ÉCONOMISER?

Les ouvriers et les artisans du village réussissent à mettre
15 un peu d'argent de côté. Lorsque, de temps en temps, un gros camion chargé de tissus, serviettes, draps de lit et ustensiles de ménage vient s'installer sur la place du village, il y a toujours des gens qui font de gros achats et qui paient, bien entendu, comptant.

20 Les Peyranais achètent rarement des objets de luxe. Ils économisent pour acheter ce qui permettra éventuellement d'augmenter leurs ressources: par exemple de la terre. Ils économisent pour pouvoir aider leurs enfants à s'établir. Ils économisent pour s'offrir un grand repas de Communion
25 Solennelle ou de mariage, ou bien encore pour payer un magnifique chandail rose en angora que le tout petit garçon portera le dimanche après-midi à la «promenade». Ils économisent aussi pour se protéger de toutes les calamités que l'avenir leur réserve, avenir dans lequel ils n'ont guère
30 confiance. Car ils vivent sur une terre où toutes sortes de catastrophes imprévues et imprévisibles se produisent périodiquement: depuis les invasions des temps anciens jusqu'aux maladies de la vigne et des vers à soie, depuis le grand froid qui a tué les oliviers jusqu'à l'invention en Amérique des colorants

synthétiques (qui ont pris la place de l'ocre local), depuis les guerres mondiales modernes (qui ont tué tant des leurs) jusqu'aux périodes d'inflation (qui ont ruiné les survivants).

## LE CRÉDIT

En cas de calamité, que peut faire la famille sinon réduire un peu plus son train de vie déjà modeste? On ne paie pas son 5 loyer. On n'achète plus de vêtements. Et on essaie de dépenser moins pour la nourriture: de la viande une seule fois par semaine tout au plus, et à la place de viande des pommes de terre, des spaghetti et beaucoup de pain. Et, quand il ne reste plus du tout d'argent, alors on a recours au crédit, si mal vu 10 qu'il soit.

«Ah, Monsieur, le crédit, c'est la plaie du commerce», disent tous les marchands de Peyrane. Même aux clients qui sûrement paieront plus tard, ils ne font pas volontiers crédit. Car un accident peut toujours arriver et la dette rester non 15 payée.

Le marchand est encore plus inquiet quand il voit entrer dans sa boutique quelqu'un qui n'est vraiment pas du pays et dont la famille a mauvaise réputation: par exemple l'homme, en chômage, est actuellement à Marseille, en quête de travail, 20 la famille est nombreuse, deux enfants sont malades, etc. Il y a toujours dans chaque village une ou deux familles de ce genre, pour lesquelles allocations familiales ou prestations diverses sont insuffisantes. Bien entendu, le marchand peut avoir recours à la loi pour se faire payer. Mais d'abord on 25 n'aime guère les hommes de loi à Peyrane, et puis «que peut-on obtenir de gens qui ne possèdent rien?»

Un cas un peu différent est celui du vieux Monsieur Maucorps, l'homme le plus insouciant, le plus paresseux, le plus sale, le plus ancien, le plus pittoresque du village. Voici deux 30 ans qu'il ne paie pas son pain. Le boulanger est venu un jour à la mairie demander si la municipalité allait payer les $120 qui lui sont dûs. Une solution consisterait à envoyer le vieux Monsieur Maucorps à l'hospice des vieillards d'Apt. Mais tout

le monde sait que cette décision serait l'équivalent d'une condamnation à mort. Et donc on s'arrange pour que le boulanger reçoive le prix brut de son pain (de la municipalité), et Maucorps, la mascotte de la commune, restera à Peyrane
5 jusqu'à la fin de ses jours.

Bref, le forgeron résume bien l'opinion qu'on a généralement du crédit à Peyrane:

«Personne ne sollicite jamais de crédit sauf en cas de nécessité absolue. Car personne ne veut être l'obligé de quel-
10 qu'un d'autre. Chacun a sa dignité et ne désire qu'une chose, c'est qu'on le laisse tranquille.»

## QUESTIONS

1. Pourquoi tous les gens de Peyrane essaient-ils d'augmenter leur revenu fixe? 2. Pourquoi peut-on dire qu'il n'y a personne dans la misère à Peyrane? 3. Comment les grandes personnes sont-elles habillées le dimanche? 4. Nommez cinq aliments que vous jugez personnellement indispensables à une alimentation saine. 5. Qu'est-ce que la famille du facteur élève ou produit elle-même? 6. Dans un budget familial moyen, quelle est la plus grosse dépense? Quelle est la plus petite?

7. Pour quelles raisons est-il difficile d'évaluer exactement le revenu moyen d'une famille? 8. Pourquoi les gens parlent-ils beaucoup de vie chère? 9. Quelles sont les deux principales sources de revenus des Peyranais? 10. Comment les paiements sont-ils souvent effectués à Peyrane?

11. Comment le facteur, François Favre, pourrait-il être très riche, relativement parlant? 12. Pourquoi ne l'est-il pas? 13. Quelle sorte de femme est Suzanne, l'épouse du facteur? 14. Quels travaux extérieurs Suzanne prend-elle en supplément? 15. En juin, qu'est-ce que François et Suzanne font des cerises qu'ils récoltent près du village? 16. Pourquoi Suzanne ne se plaint-elle pas de la vie qu'elle mène? Expliquez.

17. Pourquoi dit-on qu'Émile Pian est un mari modèle? 18. Qu'est-ce qu'il fait quand il ne travaille pas comme maçon?

19. Pourquoi chaque famille doit-elle toujours chercher à réduire ses dépenses? 20. Pourquoi chaque famille a-t-elle de la peine à réaliser des économies sur la nourriture? 21. Quelle importance les Peyranais attachent-ils à la nourriture? 22. Pourquoi les plats populaires sont-ils composés d'ingrédients bon marché? 23. Décrivez les nombreuses occupations d'une mère de famille. 24. En quoi consiste le petit déjeuner pour la plupart des gens? 25. Que prennent les gros travailleurs manuels à leur petit déjeuner? 26. En quoi consiste le repas de midi? 27. Quel est le menu ordinaire du repas du soir? 28. Montrez qu'à Peyrane le régime alimentaire est sain. 29. Pourquoi cette analyse systématique de leur alimentation ferait-elle rire les Peyranais? 30. Pourquoi préfèrent-ils l'huile d'arachide à l'huile d'olive?

31. Pourquoi, à Peyrane, ne jette-t-on pas les bouteilles vides? 32. Pourquoi la ménagère se munit-elle toujours de filets et de paniers pour faire son marché? 33. Qu'est-ce que c'est que des «espadrilles»? 34. Expliquez comment les gens économisent sur leurs vêtements. 35. Pourquoi est-il important d'être bien couvert en hiver? 36. Quelle sorte de cheminées trouve-t-on en Provence? 37. Quelle température les Peyranais aiment-ils maintenir dans leur maison? Pourquoi? 38. Qu'utilise-t-on pour faire la cuisine? 39. Pourquoi les statistiques portant sur les appareils de radio sont-elles toujours un peu en-dessous de la réalité? 40. Pourquoi vaut-il mieux avoir l'air plus pauvre que plus riche? 41. Dans quels cas est-ce que la famille n'hésite pas à faire des frais? 42. Expliquez en français ce qu'est une Caisse d'Épargne. 43. A qui sont les moins vieilles autos de Peyrane? 44. Pour les gens de Peyrane, en 1951, que signifie «acheter à crédit»? 45. Quand n'aiment-ils pas accepter des cadeaux ou des services?

46. Racontez l'ascension sociale de Louis Borel. 47. Que fait-il, à l'aide d'un camion, depuis la guerre? 48. Qu'a-t-il construit en face de chez lui? A quel usage?

49. Quand M. Anselme a-t-il pu s'acheter une ferme? 50. Comment traite-t-il les ouvriers agricoles qu'il emploie pour la cueillette des raisins? 51. Que fait-il de ses raisins? 52. Qui est son héritière? 53. Qu'est-ce que M. Anselme représente pour les Peyranais? Qu'est-ce qu'ils admirent en lui?

54. Dans quels buts les familles économisent-elles? 55. Comment envisagent-elles l'avenir?

56. Comment le crédit est-il vu à Peyrane, en 1951? 57. Que décide la municipalité quand M. Maucorps ne peut pas payer son pain au boulanger? 58. Essayez d'expliquer en deux ou trois phrases le sens de l'expression «joindre les deux bouts».

# HYGIÈNE ET SANTÉ 8

Au premier abord, on pourrait croire que, faute d'un tout-à-l'égout et d'un équipement sanitaire moderne, Peyrane est un village peu satisfaisant au point de vue sanitaire.[1]

Il n'en est rien. Selon les statistiques officielles, il n'y a pas eu récemment de cas de typhoïde, de petite vérole, de dysenterie ou de poliomyélite. Il y a bien quelques tuberculeux, mais ce sont des citadins qui viennent ici pour se reposer, et qui, d'ailleurs, ne sont pas très satisfaits de leur décision, parce qu'après tout la vie rurale est plus dure que la vie à la ville, et que Peyrane n'est évidemment pas organisé comme un sanatorium.

En cas de maladie, bien sûr, les gens font venir le docteur. A Peyrane on n'emploie guère le mot «malade». On dit plutôt «fatigué». Etre «un peu fatigué» signifie simplement qu'il faut prendre des précautions, se reposer plus que d'habitude, et peut-être suivre un régime alimentaire. Il faut continuer à mener une vie aussi normale que possible. Si l'on est «fatigué», on cesse de travailler, on se couche peut-être, et la famille s'inquiète un peu, mais on ne fait pas encore appel au docteur. On administre les remèdes usuels. On attend. Et, généralement, et sans vrai traitement médical, le patient guérit. Toutefois, si des symptômes inquiétants apparaissent, on déclare alors que le patient est «bien fatigué», et on fait venir le docteur.

[1] Voir chapitre 15, p. 181.

Dans un rayon de dix kilomètres il y a une douzaine de docteurs, mais en faire venir un n'est pas chose simple. Aucun docteur ne réside à Peyrane. Il faut donc téléphoner, ou la nuit aller le chercher en voiture.

5 L'un d'eux, le docteur Magny, passe régulièrement deux fois par semaine au village. Il est estimé par tous les gens de la commune. C'est lui qu'on fait venir de préférence. Pour une visite à domicile, en dehors des jours où il vient au village, il demande $4.50. Mais pour les consultations à son cabinet il 10 ne demande que $1.50. Son cabinet est fort bien équipé. Il se tient très au courant des découvertes médicales. Chaque année il monte à Paris suivre un cours intensif spécialement organisé pour des médecins de campagne, comme lui.

Il ne voit que de vrais malades. Beaucoup de gens peu-15 vent être «fatigués», et tout le village peut tousser et éternuer, officiellement il n'en sait rien: on ne l'invite pas à passer à la maison et on ne va pas non plus le consulter à son cabinet.

Si d'ailleurs quelqu'un, par hasard, lui demande de traiter un petit mal d'oreilles à la pénicilline, il répond étonné: «Ce 20 mal d'oreilles n'est pas grave. On n'emploie pas les grands moyens (c'est-à-dire les antibiotiques) pour ces petites choses. Il faut les réserver pour les cas sérieux.»

On emploie, par contre, beaucoup de petits moyens. Et les pharmacies d'Apt semblent faire de bonnes affaires. On ne 25 peut guère y faire exécuter une ordonnance sans faire une longue queue.

Comme les gens de Peyrane sont rarement malades, et comme ils prennent une attitude de Spartiate [2] vis-à-vis de la douleur, on est surpris d'entendre parler tant de la santé. C'est 30 pourtant un des thèmes les plus courants de la conversation de tous les jours, qu'il s'agisse de sa propre santé ou de la santé de quelqu'un d'autre. Le nombre de gens dont on dit qu'ils sont «un peu fatigués», expression vague qui peut s'appliquer aussi bien à un malaise précis qu'à une dépression nerveuse 35 sans cause apparente bien déterminée, est étonnant.

[2] Le Spartiate était un habitant de Sparte, en Grèce, qui était réputé pour son austérité et sa fermeté.

C'est le foie qu'on accuse souvent dans les cas de «fatigue». Au café, à l'heure de l'apéritif, il y a toujours quelqu'un qui commande un verre d'Eau de Vichy au lieu de sa boisson habituelle.[3] Aux amis qui s'étonnent — pour la forme — il explique que son foie est «un peu fatigué», et qu'il veut le  5 reposer. Tous comprennent très bien cela, car ils ont tous, chacun à leur tour, des ennuis avec leur foie.[4]

Ces préoccupations constantes de santé s'expliquent partiellement peut-être par les conséquences économiques de leurs maladies. Pour beaucoup de gens, le budget est prévu si juste  10 qu'en cas d'interruption de salaire, les économies sont vite épuisées, et c'est bientôt «la catastrophe» pour la famille. Allocations familiales et allocations maladies (prévues par la Sécurité Sociale) ne sont pas toujours suffisantes. Et d'ailleurs, les Peyranais n'ont guère confiance dans les promesses du  15 gouvernement. D'où les craintes qu'ils expriment sans cesse dès que quelque chose semble ne pas aller, et l'importance primordiale que tous accordent à une bonne santé.

## QUESTIONS

1. Pourquoi est-ce que des tuberculeux viennent à Peyrane?
2. Sont-ils satisfaits? Pourquoi? 3. Expliquez la signification de «un peu fatigué», «fatigué», et «bien fatigué». 4. Quand les gens cessent-ils de travailler? 5. Quand font-ils appel au docteur? 6. Combien de docteurs y a-t-il à Peyrane? Aux environs de Peyrane? 7. Combien le docteur Magny demande-t-il pour ses visites à domicile et pour les consultations à son cabinet? 8. Qu'est-ce que le docteur Magny pense des antibiotiques? 9. Les pharmacies d'Apt semblent-elles faire de bonnes affaires? Expliquez pourquoi. 10. L'homme qui, à l'heure de l'apéritif, commande un verre d'Eau de Vichy s'en excuse. Comment, et pourquoi? 11. Pourquoi est-il étonnant d'entendre tant parler de la santé à Peyrane? 12. Donnez les raisons économiques pour lesquelles les Peyranais accordent une grande importance à leur santé.

[3] L'Eau de Vichy: «sparkling water.»
[4] Selon la remarque mi-sérieuse mi-facétieuse d'un docteur d'Avignon, «le foie tient peut-être en France la place des ulcères aux États-Unis.»

*Les autres critiquent votre façon de vivre; ils vous disent*
*comment élever vos enfants, comment dresser votre chien,*
*et comment traiter votre belle-mère.* Les autres *voudraient*
*se mêler de vos affaires. Ils essaient de tourner contre vous*
*certaines personnes en répandant des soupçons vagues sur*
*votre honnêteté et sur votre moralité. Ils parlent de vous*
*dans votre dos. Ils ne vous respectent ni dans vos biens*
*ni dans vos droits. Ils sont malhonnêtes et intransigeants.*

Voilà à peu près comment tout habitant de la commune
présente ses concitoyens à qui vient de l'extérieur avec l'intention de s'installer à Peyrane. Une grande méfiance envers
autrui, en apparence tout au moins, semble prévaloir.
5    Et pourtant on a très rarement besoin de faire venir, à
Peyrane, les gendarmes d'Apt. Dans ce cas, c'est pour arrêter
des gens de passage qui ont commis de petits vols. Si, par
extraordinaire, il s'agit de gens du pays, tout le monde tombe
d'accord que celui qui s'est rendu coupable du larcin «avait
10   complètement perdu la tête: il ne faut plus savoir ce qu'on fait
pour prendre quelque chose à son voisin!» Les gens de Peyrane
sont foncièrement honnêtes en matière de biens matériels.
     Mais quand il s'agit de la réputation des autres, ils sem-
blent toujours prêts à faire de leur mieux pour la détruire par
15   tous les moyens. D'où il résulte évidemment que beaucoup de
gens sont «brouillés». C'est-à-dire qu'ils ne se parlent pas,

*124*

qu'ils évitent le plus possible de se rencontrer — ce qui n'est pas facile dans un si petit village — et que s'ils se trouvent nez à nez dans un lieu public ils échangent menaces et insultes, mais sans toutefois en venir jamais aux mains. Ce que chacun cherche confusément, c'est susciter dans son entourage des 5 soupçons et des ressentiments contre son «ennemi».

Chacun fait naître le soupçon en créant l'impression que *l'autre* est une menace pour la société en général. Chacun s'arrange pour suggérer que *l'autre* est menteur, malhonnête, plein de malice, sans jamais dire explicitement qu'il est tout 10 cela, mais avec le ferme espoir que les auditeurs et spectateurs comprendront bien que ces insinuations reposent sur des faits certains.

Voici un des sujets de composition française donné à l'école dans la classe des grands: «Les causes de mes colères; 15 ce que j'ai envie de faire quand je suis en colère, et ce que je fais vraiment; combien de temps durent les brouilles.»

Et voici des extraits de deux de ces compositions:

Les autres enfants me mettent en colère quand ils me font des grimaces, quand ils me taquinent et quand ils trichent. . . Quand je suis en colère contre un camarade, j'ai envie de lui donner des coups de pied et de lui jeter quelque chose à la figure. . . Ces colères durent quelques heures ou quelques semaines, mais chez les grandes personnes, les brouilles peuvent durer des années et des années . . . Les insultes qui me mettent le plus en colère sont: «imbécile», «idiot», «la ferme», «menteur», «c'est pas vrai». J'ai envie de lui tomber dessus. . . . Mais ce que je fais vraiment: je lui hurle: «Attends un peu la sortie; tu verras comment j' m'appelle; t'auras pas le nez droit en rentrant chez toi.»[1]

En somme les *brouilles* des enfants et celles des grandes personnes ont les mêmes causes, et les réactions des uns et 20 des autres sont identiques.

___

[1] «C'est pas vrai, j' m'appelle, t'auras» sont des exemples du langage parlé familier, dont les formes correctes sont faciles à retrouver: ce n'est pas vrai, je m'appelle, tu auras.

Dans l'état opposé à la brouille, les gens sont, dit-on, *bien ensemble*. Etre *bien ensemble* signifie qu'on prend l'apéritif ensemble, qu'on joue aux cartes régulièrement, que les familles passent la soirée ensemble de temps en temps, et
5 qu'on se soutient mutuellement dans les brouilles avec les autres.

Si l'on n'est ni *bien* ni brouillé avec quelqu'un, on dit tout simplement: «il n'y a rien entre nous», ni griefs ni raisons d'établir des rapports cordiaux.

10 Quoiqu'il en soit, les conversations et les commérages sont nombreux. Ils ne sont point charitables, et personne n'aime en faire les frais.

On pourrait établir une liste amusante de tout ce que l'on reproche à chacun des Peyranais: une mère laisse trop courir
15 ses enfants dans la rue; une autre les tient trop à la maison. Pouget se met trop facilement en colère; Baume est trop intrigant; Reynard est trop «ours»; François Favre perd son temps à des bavardages; Martron est trop rusé; Monsieur Pascal se laisse trop facilement duper, etc.

20 Bourdin dit: «Si le Christ lui-même venait habiter à Peyrane, *les autres* trouveraient quelque chose à redire sur Lui. A Peyrane personne ne peut avoir raison. Si vous n'êtes pas trop comme ceci, vous êtes trop comme cela. On vous critique si vous faites quelque chose, et on vous critique si vous ne le
25 faites pas. C'est donc à vous de décider une fois pour toutes que *les autres* ne comptent pas. Ne dites à personne ce que vous pensez, ce que vous projetez de faire, combien d'argent vous gagnez. Occupez-vous de vos propres affaires, et n'ayez pas d'histoires avec *les autres*.»

30 Il y a peu de Peyranais qui suivent ces derniers préceptes. Préceptes, d'ailleurs, qui n'amènent pas de solution satisfaisante. Car, sans «histoires,» sans *brouilles,* la vie est facilement terne, et, en évitant ainsi à tout prix tous rapports avec *les autres,* on risque de se priver d'*être bien* avec quelques per-
35 sonnes du village, c'est-à-dire qu'on court le risque de n'avoir personne avec qui parler.

un cafard — ( roach )
"tattle-tale"

Et comme la plupart des Peyranais ne sont pas du tout faits pour vivre hors de la société, ils s'arrangent fort bien, en public, pour prendre un air cordial, amical, hospitalier, jovial même.

Peu de Peyranais ont lu Montaigne,[2] mais ils trouveraient son conseil à leur goût: 5

> Il se faut reserver une arriere boutique toute nostre, toute franche, en laquelle nous establissons nostre vraye liberté et principale retraicte et solitude. En cette-cy faut-il prendre nostre ordinaire entretien de nous à nous mesmes, et si privé que nulle acointance ou communication estrangiere y trouve place.[3]

## QUESTIONS

1. Expliquez comment les Peyranais manifestent leur méfiance envers autrui. Donnez trois exemples. 2. Quand est-on obligé de faire venir les gendarmes d'Apt? 3. Que pensent les Peyranais si les coupables sont des gens du pays? 4. Qu'est-ce que c'est que des gens «brouillés»? 5. Comment les Peyranais traitent-ils la réputation d'autrui? 6. Comment font-ils naître le soupçon dans leur entourage? 7. Dans le sujet de composition française donné par l'institutrice, quelles sont les grandes divisions? 8. Qu'est-ce que les élèves ont écrit? 9. Quelles sont les causes les plus fréquentes des brouilles, chez les enfants et chez les grandes personnes? 10. Comment les uns et les autres réagissent-ils? 11. De quelle durée sont ces brouilles? 12. Que signifie l'expression "être bien ensemble"? 13. Citez quelques-uns des reproches que les Peyranais se font mutuellement. 14. Pourquoi cette liste de reproches et de critiques est-elle amusante? 15. Comment faut-il donc vivre ici? 16. Pourquoi les gens ne sont-ils jamais satisfaits, même quand ils vivent sans histoires? 17. En public, comment les Peyranais se comportent-ils? 18. Récrivez la citation de Montaigne en français moderne. 19. Expliquez la réflexion de Montaigne.

[2] Écrivain et moraliste (1533–1592).
[3] *Les Essais*, Livre Premier, chapitre 39; l'orthographe est celle du XVIe siècle.

# PEYRANE ET LE MONDE EXTÉRIEUR 10

Quand une ménagère, comme Madame Arène, s'écrie:
«Ah, ils nous ont encore augmenté le prix du café», elle ne
parle pas des «ils» de la commune (gens connus et contre
lesquels elle peut se défendre), mais de tous les «ils» de l'ex-
5 térieur, intangibles et anonymes, et donc mystérieux et tout-
puissants. Ce sont eux qui causent les plus grands maux aux
gens de Peyrane: inflations, crises économiques, impôts,
guerres, bureaucratie, etc. Ce sont eux qui sont rendus responsables de l'augmentation du prix des engrais, du service mili-
10 taire obligatoire pour tous les jeunes gens, des règlements qui
interdisent aux cultivateurs de planter autant de vignes qu'ils
le voudraient,[1] etc.

Ces «ils», pour les Peyranais, ce sont parfois les grandes
compagnies, parfois la Presse. Ils représentent peut-être tous
15 les Français, ou tous les Américains, ou bien encore tous les
Russes. Plus généralement, c'est le Gouvernement français qui
est visé, car après tout, c'est lui qui perçoit les impôts, contrôle
la production vinicole, et tout cela par l'intermédiaire d'une
foule de fonctionnaires anonymes.

20 Cette attitude se trouve en contradiction manifeste avec
celle que l'école cherche à inculquer aux enfants. Dans leur
livre d'instruction civique, ils lisent que le Gouvernement n'est

---

[1] Pour éviter la surproduction du vin la plantation de la vigne est
sévèrement limitée par le gouvernement.

que la manifestation concrète de l'État, lui-même identifié
politiquement avec la Patrie. Ils apprennent par cœur des
phrases comme celles-ci:

> L'État est la nation organisée et administrée.[2] . . . Le
> Gouvernement est l'organe directeur de l'Etat . . .[2]
> . . . Un bon citoyen cherche toujours à s'instruire. Il re-
> specte la loi, paie loyalement ses impôts, se soumet à l'obli-
> gation militaire et défend sa patrie quand elle est me-
> nacée . . .[3]
> Il possède l'esprit de coopération et d'entr'aide . . .[3]

Les enfants acceptent aisément la notion de Patrie, car
chez eux et au village, ils n'entendent parler de la patrie 5
qu'avec amour et respect. Le Monument aux Morts est un lieu
vénéré dans la commune. Plusieurs fois par an, les enfants
voient tous les hommes du pays, oubliant momentanément leurs
différends personnels, aller ensemble déposer solennellement
une couronne au pied du Monument. 10
Enfants, ils savent que «la douce France», ce merveilleux
hexagone, est un pays privilégié. Ils savent que la langue
française est la langue de la civilisation et que les peuples
civilisés de toute la terre considèrent la France comme leur
seconde patrie. Adultes, ils reconnaissent qu'officiellement, 15
légalement, moralement, statistiquement, ils font bien partie
de l'État qui administre les affaires de la France. Mais, quoiqu'ils aiment la France, ils n'aiment guère cet État.
Car les gens de Peyrane rejettent purement et simplement
les «belles phrases» du livre d'instruction civique. En théorie, 20
oui, le Gouvernement est peut-être l'équivalent de la Patrie,
mais en fait, comme il se trouve composé d'êtres humains,
c'est-à-dire de gens faibles, égoïstes et intrigants, le citoyen
doit, au lieu de coopérer avec eux — comme le demande le

[2] *Éducation morale et civique,* Ballot et Aveille (Paris, Charles Lavau-
zelle, 1952), p. 233.
[3] *Ibid.,* p. 267.

livre — essayer par tous les moyens de les empêcher d'accroître leur pouvoir sur les individus et sur leur famille.

Les Peyranais sont tous d'accord sur ce point: tout homme qui a des droits sur un autre homme est par essence le mal 5 personnifié. Ils admettent volontiers qu'un individu puisse entrer vertueux dans la politique, mais ils n'accepteront jamais de croire qu'il puisse le rester, une fois au pouvoir.

D'ailleurs les livres d'instruction civique avouent décrire un idéal plutôt qu'un état de fait. Ils précisent que la politique

doit être un grand service public, l'art de réaliser plus de justice et de bonheur parmi les hommes . . .[4]

Elle ne doit pas être la conquête d'avantages particuliers et ne doit surtout pas déchaîner les passions . . .[4]

Elle éveille trop souvent de la défiance, du dédain et même du dégoût . . .[4]

Dans un État démocratique comme le nôtre, la participation à la vie nationale doit être le premier devoir d'un citoyen. Pourtant bien des gens honnêtes et intelligents, qui pourraient être les meilleurs guides de la vie publique, s'en détournent en la jugeant sévèrement.[5]

1) La politique en effet suscite beaucoup de *défiance*. On évite d'en parler dans les réunions de famille, dans les associations amicales, professionnelles ou sociales. On l'exclut de l'armée, qui doit être «la grande muette»,[6] comme de la magistrature. Elle ne doit pas entrer à l'école.[5]

2) Le *dédain* qui l'accable n'est pas moins grand. «La politique est une spécialité que j'abandonne aux spécialistes», déclare l'écrivain Georges Duhamel.[7] Il exprime ainsi le mépris affiché par un grand nombre d'intellectuels à l'égard de ce que l'un d'eux appelle «le ménage de la nation».[5]

3) D'où un *dégoût* pour la politique, comme pour ceux que l'on nomme «les politiciens», et que l'on s'efforce de présenter comme des hommes de peu de moralité, de

[4] *Ibid.*, p. 270.
[5] *Ibid.*, p. 268.
[6] L'armée n'a pas le droit de vote.
[7] Écrivain né à Paris en 1884, membre de l'Académie française.

mince mérite, incapables de s'élever par eux-mêmes et de servir utilement.[8]

Il n'y a d'ailleurs rien de personnel dans les attaques des Peyranais. Il ne s'agit même pas d'un gouvernement plutôt que d'un autre. Il s'agit de tous les gouvernements du monde. Certains sont peut-être moins mauvais que d'autres, mais, par définition, ils sont tous mauvais. 5

Bien entendu il ne faut pas croire tout ce qui se dit au cours des conversations. La nécessité des gouvernements est reconnue, mais comme une de ces fatalités — comme le temps qu'il fait — et qu'il faut accepter: «C'est comme ça!» Et puis, cela soulage de beaucoup parler du mauvais temps et de la 10 politique, et de les maudire sans cesse.

On aurait pu espérer que la Sécurité Sociale et les nombreux avantages qu'elle procure à la masse de la population atténueraient sensiblement cette hostilité constante envers le Gouvernement. Il n'en est rien. Les gens acceptent volontiers 15 ces avantages, mais ils trouvent toujours quelques bons prétextes pour se plaindre: les allocations diverses ne sont pas suffisantes; toute la paperasserie qu'elles nécessitent est compliquée; l'État de toute façon les ruine avec les impôts qu'il prélève, et l'inflation dont il est responsable! 20

C'est-à-dire qu'ici comme ailleurs, l'on parle plus facilement et davantage de ce qui ne marche pas plutôt que des aspects bienfaisants, fort nombreux aussi, de la Sécurité Sociale.

### L'ESPRIT DE CORPS

A la Libération, en 1945, le chef local du maquis a reçu un télégramme du Comité départemental lui ordonnant d'ar- 25 rêter plusieurs Peyranais accusés de collaboration avec l'ennemi: un notaire, le secrétaire de mairie, un propriétaire de carrières d'ocre, un épicier, un boulanger, et six des plus riches cultivateurs de la commune. Sans la moindre hésitation, Raoul

[8] *Ibid.*, p. 268.

Chanon, le chef du maquis de Peyrane, a déchiré le télégramme
en disant : «Ici, nous réglons nos affaires en famille.» C'était la
plus belle chose à faire. Et tous les Peyranais, quelles que
soient leurs affiliations politiques, leur rang social et leur opi-
5 nion personnelle sur le chef du maquis, ont approuvé avec enthousiasme. C'était le geste attendu.

En déchirant le télégramme, en refusant d'obéir à quelqu'un de l'extérieur, le village montrait qu'il était, malgré ses
disputes intestines (ou à cause d'elles) une vraie grande
10 famille, dont les membres sont toujours prêts à se quereller
entre eux, mais qui savent, le moment venu, opposer un front
commun aux «ennemis» de l'extérieur.

Cette unanimité repose en réalité sur les sentiments. Elle
ne va pas plus loin. Elle ne se traduit pas en actes. Il n'est pas
15 question, par exemple, de rechercher ensemble les moyens par
lesquels le Gouvernement, ce mal nécessaire, pourrait fonc-
tionner sans écraser l'individu et sa famille, car alors, le
désaccord parmi les habitants de la commune se révèlerait total
et plein d'amertume. Car les Peyranais s'accusent mutuelle-
20 ment non seulement des maux dûs au fait qu'ils vivent près les
uns des autres, mais aussi des maux qui les menacent de
l'extérieur.

Quand le prix du café monte, Pouget peut en rendre responsables Reynard et tous ceux qui, comme lui, votent pour
25 les politiciens «qui aident le gros commerce à nous dépouiller,
nous les petits.» Reynard, d'autre part, rend responsables des
impôts trop lourds «des gens comme les Pouget, qui vivent
comme des bêtes, ont des tas d'enfants, et qui votent pour les
candidats qui leur donneront encore plus d'argent (sous forme
30 d'allocations familiales) pour qu'ils aient encore plus d'enfants
— argent pris dans les poches des gens «décents» (c'est-à-dire
des gens comme les Reynard) qui n'ont que deux enfants.»

Même quand les hostilités personnelles ne s'ajoutent pas
aux différends idéologiques, les discussions peuvent devenir
35 très violentes. Et si l'on reproche toutes les calamités habi-
tuelles — cherté de la vie, impôts et guerres — à des politiciens

qui se trouvent estimés par le voisin, il est assez difficile de ne pas en vouloir aussi, personnellement, au voisin lui-même. Pour bien s'entendre, il ne reste plus qu'une solution: ne pas parler politique. Et après tout, boules, chasse et nourriture sont en vérité des sujets fréquents de conversation. 5

### LES PARTIS POLITIQUES

Étant donné les passions que soulève la politique, on pourrait croire que les partis politiques sont actifs et bien organisés à Peyrane. Ce n'est pas le cas. Même le parti communiste ne présente pas un front très uni. Il y a quelques années, par exemple, une grande scission s'est produite entre 10 les membres du parti parce que certains voulaient chasser le lapin au furet et que d'autres n'admettaient que la chasse ordinaire, au fusil, plus sportive et moins rapidement destructrice que la première. Tout comme l'existence des autres sociétés et associations amicales du pays, celle des partis 15

*Une affiche du Parti Communiste lors des élections de 1951*

politiques dépend souvent de rapports humains bien fragiles. Quelques hommes actifs et remuants peuvent donner une impression superficielle et fausse de la force et de l'unité de certains partis.

5 Il y a, par exemple, un grand nombre d'affiches communistes sur les murs du village. C'est le Parti Central qui les expédie de Paris ou de Marseille; mais à Peyrane, seuls Moïse Jannel et Charles Pouget acceptent de les coller. Et ce sont les deux mêmes hommes qui font circuler les pétitions, qui 10 vendent des almanachs et des journaux communistes, et qui font des quêtes pour telle ou telle cause communiste. Tandis que les autres membres du parti local n'ont que mépris pour la docilité de Jannel et de Pouget.

Donc ces affiches ne signifient pas grand-chose. Les gens 15 les regardent à peine et ils n'en parlent guère.

«C'est de la propagande, tout ça. Ça ne nous intéresse pas. Il y a trop longtemps que les partis nous bombardent de propagande. Ça ne prend plus sur nous. On n'y fait plus attention!»

C'est un peu avec le même scepticisme que les gens écoutent la radio et lisent les journaux. La plupart des familles possèdent un poste et écoutent régulièrement les nouvelles: le journal parlé. Elles achètent ou empruntent un quotidien (une 20 centaine de journaux arrivent chaque jour au village). Elles ne discernent ni mieux ni plus mal que le lecteur moyen du monde entier le vrai du faux. Toutefois, après avoir subi pendant des années la propagande de la Troisième République,[9] celle de Vichy,[10] celle de la France Occupée,[11] celle de la B.B.C.[12] de 25 Londres, celle des affiches pro-allemandes, celle des affiches pro-américaines, les Peyranais sentent très clairement que les

[9] De 1870 à juin 1940.
[10] L'État Français de Vichy se place entre la Troisième République et le Gouvernement Provisoire de 1944.
[11] Toute la moitié nord de la France est occupée par les Allemands à partir de juin 1940.
[12] The British Broadcasting Company.

«ils» de l'extérieur cherchent à les manœuvrer par tous les moyens. D'où leur grande résistance à modifier leurs anciens points de vue personnels.

Ils ont surtout très peu confiance dans les programmes officiels qu'annoncent les différents partis, et que d'ailleurs ils connaissent mal. Ils se contentent généralement des «slogans» qui expriment le mieux leurs vues propres et bien arrêtées.

Qu'est-ce qui détermine ces points de vue individuels? D'une part, les traditions de la famille, le niveau social et économique, le tempérament de chacun, les rapports humains avec les autres Peyranais. D'autre part, la conception que chacun se fait de son propre parti politique, conception qui diffère totalement de celle qu'offrent les programmes officiels du parti hors de Peyrane.

Sur le plan électoral, les communistes reçoivent habituellement à peu près le tiers des voix des électeurs inscrits. Un second tiers va aux partis modérés: le Rassemblement des Gauches Républicaines, les Socialistes, les Radicaux-Socialistes et le Mouvement Républicain Populaire. Et aux élections nationales tout au moins, un dernier tiers est constitué par ceux qui, pouvant voter, ne s'en donnent pas la peine, par principe, parce qu'ils considèrent que c'est une pure perte de temps.

Au fond, l'attitude de ceux qui votent radicaux-socialistes, socialistes ou communistes, et celle des abstentionnistes est peu différente. Dans les deux cas, ces votes traduisent un refus et une condamnation de tous les ennuis dont l'autorité gouvernementale est tenue pour responsable.

Cette division des électeurs en trois groupes égaux: les modérés, les communistes, et les abstentionnistes, rend les élections très serrées. Un léger changement dans la population ou dans le nombre des abstentions, peut modifier les résultats du tout au tout.

### ÉLECTIONS MUNICIPALES

Les Peyranais s'intéressent naturellement beaucoup plus

aux élections municipales qu'aux élections nationales. Il suffit de consulter les statistiques des dernières années:

| Élections nationales [13] | | | | Élections municipales [14] | | | |
|---|---|---|---|---|---|---|---|
| mai | 1946 | 67 % | ont voté | avril | 1945 | 80 % | ont voté |
| juin | 1946 | 68 % | id. | octobre | 1947 | 80 % | id. |
| novembre | 1946 | 73 % | id. | avril | 1953 | 90 % | id. |
| juin | 1951 | 70 % | id. | | | | |

C'est à l'occasion des élections municipales que toutes «les histoires personnelles» se manifestent et jouent un très
5 grand rôle, rôle beaucoup plus important que ne jouent les diverses idéologies des partis. D'où la difficulté presque insurmontable d'analyser les résultats des votes périodiques et de déterminer les pertes ou les gains réels des groupements politiques.
10 Parmi les critères traditionnels, ni l'âge des candidats habituellement élus, ni le fait qu'ils soient nés dans le village, ni le fait que les trois-cinquièmes des électeurs soient des cultivateurs, ne semblent jouer un rôle prépondérant. Les seuls facteurs qui paraissent décider d'ordinaire de la victoire
15 sont le caractère et le tempérament du candidat. Quel que soit le parti auquel ils appartiennent, les élus sont des gens qui ont la réputation d'être «sérieux», des gens qui s'occupent bien de leurs propres affaires, et qui ne se mêlent pas des affaires qui ne les regardent pas.
20 Celui qui obtient les votes, enfin, est quelqu'un qui maintient des relations cordiales avec les autres, mais qui donne l'impression de ne jamais s'engager profondément. C'est quelqu'un qui, dans sa profession ou son métier, a travaillé dur, a réussi, et qui a une vie familiale et personnelle. Il fréquente le
25 café, mais il n'y traîne pas. Il joue aux boules de temps en temps, mais sans se passionner pour le jeu. Il s'entend avec les communistes tout comme il s'entend avec les non-communistes. Il est assez *bien* avec tout le monde, et il n'est

---

[13] Aux élections législatives de 1956, le pourcentage a été de 79%; à celles de 1958, 70%; et au référendum de 1958, 81%.
[14] 90% ont voté aux élections municipales de 1959.

*Un conseiller municipal
surveille le vote*

*Monsieur Marnas met son bulletin
de vote dans l'urne*

*Moïse Jannel lit les résultats des élections dans un journal de Marseille*

*brouillé* qu'avec ceux que tous détestent. Il est de ces gens dont on peut être sûr qu'ils ne mettront pas le nez dans les affaires des familles, et qui seront aussi justes qu'il est humainement possible de l'être quand ils arriveront au pouvoir. Bref,
5 celui qui est élu est quelqu'un qu'on ne peut facilement identifier ou associer ni avec les «ils» du village ni avec les «ils» du monde extérieur.

## QUESTIONS

1. De qui parle Madame Arène à propos de l'augmentation du prix du café? 2. De quels maux les «ils» de l'extérieur sont-ils rendus coupables? 3. Nommez plusieurs «ils» de l'extérieur. 4. Quel est, selon les Peyranais, le plus coupable de ces «ils»? Pour quelles raisons? 5. Qu'est-ce que le *Livre d'instruction civique* enseigne aux enfants? 6. Pourquoi les hommes du pays vont-ils ensemble plusieurs fois par an au Monument aux Morts? 7. Qu'apprennent les enfants sur la France et sa langue? 8. Pourquoi, selon les Peyranais, le Gouvernement n'est-il pas, en fait, l'équivalent de la Patrie? 9. Que pensent les Peyranais des hommes au pouvoir? 10. Le *Livre d'instruction civique* admet que la politique suscite souvent de la méfiance, du dédain et du dégoût. Expliquez. 11. Que pensez-vous vous-même de la politique? Donnez vos raisons. 12. Les Peyranais trouvent quelques prétextes à se plaindre de certains aspects de la Sécurité Sociale; lesquels?

13. Dans le télégramme du Comité départemental de la Libération, quels étaient les Peyranais accusés de collaboration avec l'ennemi? 14. Qu'est-ce que Raoul Chanon a fait de ce télégramme, et qu'a-t-il déclaré publiquement? 15. Qu'est-ce que prouvait l'attitude unanime du village devant le geste de Chanon? 16. Quand le prix du café monte, comment les gens s'accusent-ils mutuellement? 17. Parmi les sujets de conversation, qu'est-ce qui remplace la politique?

18. De quoi dépendent souvent l'existence et la vitalité des partis politiques locaux? Donnez un exemple. 19. Pourquoi les affiches politiques n'ont-elles pas ici un grand rôle d'infor-

mation? 20. Pourquoi les journaux et la radio influencent-ils si peu l'opinion de chacun? 21. Qu'est-ce qui détermine les points de vue bien arrêtés de chaque électeur? 22. En quels groupes les électeurs se divisent-ils généralement? 23. Pourquoi certaines personnes ne se donnent-elles même pas la peine de voter? 24. Par quoi les électeurs se laissent-ils influencer?

25. A quelles élections les Peyranais s'intéressent-ils davantage, et que se passe-t-il alors? 26. Quels sont les facteurs qui décident habituellement de l'élection? 27. Les candidats qui sont finalement élus, comment vivaient-ils et comment se comportaient-ils auparavant?

### LE CAFÉ, TERRAIN NEUTRE

Tandis que la famille offre à chacun de ses membres ses distractions et ses travaux, le café demeure à peu près le seul endroit où les gens peuvent se distraire en public. Ce n'est d'ailleurs pas la seule fonction du café. Spécialisé
5 dans la vente des boissons, alcooliques ou non, le café, ici, est en même temps un «tabac». C'est-à-dire que le gouvernement l'autorise à vendre tous les articles dont il a le monopole: allumettes, briquets, cigarettes, tabac, timbres-poste, etc. Mais le café est avant tout un lieu public où tout le monde entre
10 librement, pour se reposer ou se rafraîchir. Pour y discuter d'une affaire, en privé et sans être dérangé, il y a toujours une table tranquille.

Tant de gens de tous les milieux fréquentent le café, tant d'histoires s'y racontent, et tant de nouvelles y circulent qu'il
15 devient tout naturellement une sorte de bureau de renseignements. Le secrétaire de mairie y passe deux fois chaque jour. Le docteur y prend l'apéritif toutes les fois qu'il s'arrête au village. Les habitants éloignés de la commune, qui ne viennent à Peyrane que pour affaires sérieuses, y entrent toujours dire
20 bonjour au cafetier et à sa femme; ils prennent un verre et ils donnent des nouvelles de leur secteur. Le facteur y laisse les commissions orales dont il a été chargé au cours de sa tournée. Et ainsi le cafetier et sa femme se trouvent-ils être informés de tout ce qui se passe dans la commune.

*L'apéritif se prend à la terrasse quand il fait beau*

Le café sert aussi en quelque sorte de «foyer» à cinq ou six hommes seuls et solitaires du village: célibataires, veufs ou divorcés. Ce ne sont évidemment pas de bons clients, car ils sont pauvres et ils ne consomment guère plus de deux ou trois petits verres de vin rouge. Ces solitaires, qui pourtant passent là de nombreuses heures, ne sont d'aucun profit pour le cafetier. Ils lisent gratuitement les journaux, ils bavardent avec la femme du cafetier, ou tout simplement, ils restent assis, là, à ne rien faire. A midi, ils apportent parfois leur pain, du fromage et du saucisson, et déjeunent en compagnie de la famille du cafetier.

D'autre part, la vente des articles tombant sous le monopole de l'État: cigarettes, tabac, allumettes, timbres-poste, etc., n'est pas très lucrative. Le propriétaire du café ne dépend donc vraiment pour vivre que de la vente des boissons: aux heures de l'apéritif, pendant les concours de boules et de belote, et lorsque le café se transforme en salle de cinéma.[1]

### L'APÉRITIF

5   De midi à une heure (avant le déjeuner) et de 6 heures à 7 heures (avant le dîner), le café tient réellement lieu de cercle pour les hommes.

L'apéritif de midi est surtout celui des hommes du village: le secrétaire de mairie, le tailleur, un radio retraité de la marine, le notaire, le docteur, etc. Ils ne boivent pas de vin rouge ou de pastis, mais des apéritifs de la ville, assez chers, du genre vermouth. Généralement chacun des hommes présents offre sa tournée, sauf, si par hasard, il ne peut rester assez longtemps, auquel cas il s'excuse et la promet pour le lendemain. Mais, le lendemain, tout le monde a oublié, lui le premier.

La conversation porte surtout sur le village où le destin les a placés. S'ils se mettent à parler politique, Avenas, le seul communiste du petit groupe, essaie immédiatement de commencer une discussion. Comme personne ne le prend au sérieux, la politique est d'ordinaire réservée pour les jours où il n'est pas là.

L'apéritif du soir attire un groupe plus grand mais moins intime. Généralement on y voit une douzaine d'ouvriers (des carrières d'ocre), des artisans, des cultivateurs et des «solitaires». La boisson alors préférée n'est ni le vin rouge — l'apéritif du pauvre — ni le vermouth — l'apéritif des bourgeois — mais le *pastis*. Le pastis, de couleur laiteuse, au parfum d'anis, et en somme assez doux, est l'apéritif le plus populaire du Midi de la France. Les hommes, debout au comptoir, ou assis dans la salle, bavardent par petits groupes. Quelques-uns, de temps en temps, changent de table. Les

---

[1] Les choses ont changé au cours de ces dernières années: voir Chapitre 15, pp. 183–185.

*Le cercle de l'apéritif à midi*

tournées se succèdent dans une grande confusion, et seule la
femme du cafetier sait qui a payé et qui n'a pas encore réglé.

La conversation, surtout en provençal, porte sur la chasse,
les aventures de guerre, les potins locaux, et sur la politique.
Celle-ci conduit parfois à des discussions qui s'envenimeraient 5
facilement si quelqu'un, pour couper court, ne lançait une
plaisanterie aux dépens d'un camarade présent. Tout de suite
les esprits se calment, et le camarade, oubliant vite tout ressentiment, prend part à nouveau à la conversation générale.

A l'apéritif du soir, on boit plus qu'à celui de midi. On y parle plus fort, mais il n'y a jamais de scène d'ivrognerie. Vers 7 heures, la plupart des hommes sont rentrés chez eux. A ceux qui tardent à quitter le café, parfois un enfant, envoyé par sa
5 mère, vient dire que le dîner est prêt. L'enfant est si bien accueilli qu'il oublie souvent le but de sa course. Les hommes lui serrent la main, plaisantent gentiment avec lui. Et le cafetier lui offre un verre de grenadine ou de sirop de menthe. Tout le monde alors garde le silence et l'observe jusqu'à ce que
10 l'enfant ait dit: «Merci, Monsieur».

D'habitude, quelques minutes plus tard, père et fils serrent la main de tout le monde. Ils remercient encore le cafetier, et ils s'en vont dîner à la maison.

Si le père tarde à partir, sa femme apparaît alors à la
15 porte du café, furieuse mais souriante:

— Chéri! La soupe refroidit. Est-ce que le petit ne t'a rien dit?

— Mais oui, bien sûr. J'arrive.

Pour garder sa dignité, il ne sort pas tout de suite. Mais
20 bientôt il paie ce qu'il doit, et il rentre rapidement chez lui.

Après le dîner, quelques parties de cartes s'organisent. Elles peuvent durer très tard dans la nuit, et elles ne rapportent pas beaucoup au cafetier — qui ne se fait pas faute de se plaindre de son sort. Avec raison d'ailleurs, car sa femme et
25 lui se lèvent tôt et se couchent tard. Debout la plus grande partie du temps, il leur faut écouter, l'air intéressé ou amusé, de longues et fastidieuses conversations. Ils ne doivent pas prendre parti dans les discussions politiques. Et ils souffrent beaucoup du crédit, «la plaie du commerce». Leur vie est
30 difficile. Pour arriver à joindre les deux bouts, il leur faut organiser des concours de boules et de belote.

### LE JEU DE BOULES

En grosses lettres peintes sur la façade défraîchie du café, on peut lire:

Concours de boules
Tous les samedis soirs
à 9 h.

Du printemps — juste après les semis — à l'automne — à l'ouverture de la chasse — il y a toujours des joueurs de boules sur la place devant le café. Pour le soir, le cafetier a disposé des ampoules électriques au-dessus de la place. En été, certaines parties durent jusqu'à 2 et 3 heures du matin. Mais habi- 5 tuellement la plupart des hommes ne viennent jouer que le samedi soir ou le dimanche après-midi. Le concours s'organise sans formalités: deux ou trois hommes tout à coup s'écrient: «Eh bien, et ce concours? Si on commençait à y songer?» Et alors, ils prennent, sans façons, l'initiative de demander 25 10 «cents» à chacun des 25 à 30 joueurs qui vont participer au concours. La somme recueillie constitue la cagnotte qui permettra de donner des prix aux trois premières équipes.

Celles-ci sont tirées au sort, et le concours commence vraiment à 10 h. 30. Les boules sont en acier ou en bronze. 15 Les meilleures aujourd'hui sont en acier inoxydable, et elles coûtent assez cher: à peu près $4.00 pièce. Les règles du jeu sont en fait assez simples.

Chaque équipe se compose de un, deux ou trois joueurs, chacun disposant de deux ou trois boules. La boule doit peser 20 un peu moins de deux livres et avoir pour diamètre entre deux pouces et demi et trois pouces un tiers. Le terrain devrait être dur et uni, mais en fait on peut jouer n'importe où. Il suffit d'avoir en plus des boules d'acier une petite boule de bois d'environ un pouce de diamètre, appelée le «but» ou le 25 «bouchon».

L'un des joueurs lance le «bouchon» dans n'importe quelle direction à une distance qui varie de cinq à vingt-cinq mètres. Il lance ensuite une boule et essaie de la placer aussi près que possible du «bouchon». Puis, chacun des autres 30 joueurs, à tour de rôle, essaie de placer ses boules près du

*145*

*Rivet s'apprête a «tirer»*

*Rivet «pointe»*

*Les spectateurs adorent ce spectacle et le suivent, silencieux, en connaisseurs*

**Le jeu de boules**

bouchon. Toutes les boules, plus proches du «bouchon» que celles de l'autre équipe, gagnent chacune un point. Les joueurs essaient donc de déplacer les boules des adversaires déjà en bonne position, ou bien encore ils essaient de déplacer le «bouchon». 5

C'est surtout dans les discussions qui déterminent la tactique à suivre que réside probablement le grand intérêt de la partie, pour les spectateurs tout au moins. Et même si les joueurs sont particulièrement bons, ce qui compte principalement c'est la dramatisation à l'extrême de tous les cas 10 qui se présentent. Vaut-il mieux déplacer le «bouchon», déloger la boule d'un adversaire, ou se placer soi-même près du «bouchon»? La discussion peut durer un quart d'heure, humoristique, sarcastique, et agrémentée de jurons et d'injures. Les spectateurs adorent ce spectacle et le suivent, silencieux, 15 en connaisseurs, pendant des heures.

Quand le concours est fini et que les prix sont adjugés, joueurs et spectateurs, à nouveau, reprennent leur air d'indifférence. Le long spectacle s'est terminé sans cris ni applaudissements, ni félicitations, ni condoléances. Tous les 20 gens se séparent comme si rien ne s'était passé.

## LA BELOTE [2]

Le plus important des concours de boules de l'année a lieu pendant les fêtes de la Saint-Michel [3]. Ensuite le jeu de boules intéresse moins. Les vendanges occupent presque tout le monde. Le mistral se met à souffler. Il fait souvent mauvais 25 temps. A la mi-novembre, avec l'ouverture de la chasse, les cartes remplacent les boules.

La «manille» [4] et «l'écarté» sont assez populaires. Certains jouent au «bridge», mais c'est plus un jeu de la ville que

---

[2] Jeu de cartes qui ressemble au «pinochle».
[3] Voir Chapitre 13.
[4] La manille est un jeu de cartes qui se joue à quatre, deux contre deux; le «10», appelé «manille», y est la forte carte. Dans l'écarté on écarte des cartes pour en reprendre d'autres.

de la campagne. En hiver toutefois quatre Peyranais y jouent
trois soirs par semaine.

Le jeu de cartes le plus populaire est sans conteste la
«belote». Tout le monde à Peyrane sait y jouer, et c'est un
5 des rares jeux auxquels les femmes peuvent prendre part.
Le cafetier profite de l'enthousiasme général pour ce jeu
de cartes pour organiser des concours de belote, le samedi soir,
à la place du concours de boules. Il en retire d'ailleurs plus
de bénéfices, car les joueurs de cartes, assis à l'intérieur du
10 café, sont naturellement amenés à consommer plus que les
joueurs de boules. D'autre part, les prix qu'il offre aux vain-
queurs: du gibier, lièvres ou grives, qu'il a tirés lui-même, ne
lui coûtent rien — c'est la saison de la chasse. Les vingt-cinq
«cents» qu'il empoche pour «couvrir les frais de chauffage,
15 d'éclairage, et pour l'usure des cartes» sont donc tout bénéfice
pour lui. A sa devanture, sous la pancarte qui annonce le
concours, et pour mettre en appétit des concurrents éventuels,
il suspend une paire de lièvres ou quatre grives.

Il y a toujours beaucoup d'amateurs. Une cinquantaine
20 d'hommes prennent part au concours, et d'autres en spectateurs. Mais la belote est évidemment moins spectaculaire que le
jeu de boules. Les joueurs de cartes doivent prendre leurs
décisions individuellement et en silence.

Il y a surtout un homme au moins, Prayal, qui ne peut
25 s'empêcher de dramatiser certaines situations. Si, par exemple,
il a reçu de très bonnes cartes, il annonce avec force chaque
carte qu'il va abattre sur la table. Alors, les spectateurs se
rapprochent pour mieux suivre la partie, mais Prayal, tendu,
tient ses cartes contre la poitrine afin que personne ne voie
30 son jeu.

— Tiens, je vais t'apprendre! Tu joues un trèfle. Je coupe
avec un cœur, et c'est moi qui mène. Et puis, tiens, voilà le
valet de cœur pour me débarrasser d'un de tes atouts. Et
puis, tiens encore, voilà le neuf de cœur qui t'enlèvera un autre
35 atout. Ah! mon pauvre ami, ce n'est pas fort de ta part d'avoir
demandé «cœur» *quand moi* j'avais les deux grosses cartes!

Et il jette violemment une autre carte sur la table.

— Tiens, voilà l'as de pique, et puis l'as de carreaux. Il te reste un misérable petit atout. Je t'en fais cadeau pour ta dernière levée!

Quelques sérieuses disputes se produisent parfois si, par exemple, deux partenaires ont échangé des signaux secrets. Mais avant d'accuser un autre joueur d'avoir triché, il faut en être bien sûr et pouvoir fournir des preuves. Car, de toutes façons, cette accusation — si elle est formulée — va *brouiller* les deux hommes pour fort longtemps. 10

D'autres disputes, moins graves, ont lieu fréquemment entre partenaires, une fois la partie terminée. Mutuellement ils s'accusent d'avoir joué bêtement. Les injures échangées n'attirent l'attention des autres — joueurs et spectateurs — que si elles sont particulièrement bien tournées. Alors, tout 15 le monde rit, et la victime, devenue la risée de tous, abandonne la dispute pour reprendre bientôt sa place dans la conversation générale, comme si rien ne s'était passé.

Ces concours de belote se prolongent parfois jusqu'à 2 et 3 heures du matin. Le fait que ces hommes dorment peu 20 cette nuit du samedi au dimanche ne semble pas les affecter. Car ils se lèvent le dimanche matin aussi tôt que les autres jours, et même plus tôt encore si, ce jour-là, ils vont à la chasse.

### LE CINÉMA

Il y a quelques années, un jeune homme du village voisin de Goult s'est monté une petite affaire commerciale assez 25 profitable. Avec un projecteur portatif de 32 mm. et un écran, il amène le cinéma dans plusieurs villages des environs. Chaque soir de la semaine il arrive dans un village différent, où il s'est entendu avec un cafetier pour transformer, ce soir-là, le café en cinéma. Le cafetier y gagne en consommations 30 supplémentaires et lui-même perçoit quinze «cents» par spectateur adulte.

Trente ou quarante personnes vont ainsi régulièrement au cinéma à Peyrane chaque mardi soir: presque tous les jeunes

gens et jeunes filles, trois ou quatre des familles qui ne manquent jamais une «distraction» (avec tous leurs enfants); les «solitaires» qui disposent ce jour-là des quinze «cents» requis; tous les célibataires entre 30 et 40 ans. Mais, très peu de gens
5 dits «sérieux» se dérangent.

Vers 9 h. 30, quand tout le monde est là, le cafetier éteint la lumière et la séance commence. De semaine en semaine les films varient beaucoup, en genre et en qualité. Ni les gens de Peyrane, ni l'opérateur ne peuvent rien quant au choix des
10 films. Une compagnie parisienne de distribution de films expédie chaque semaine un long métrage, un court métrage, et des actualités. Certains films, français et étrangers, sont excellents, d'autres très médiocres. Personne ne se plaint, car tout le monde sait que rien ne peut influencer la compagnie
15 parisienne. Le jeune homme de Goult prend même la peine de prévenir les spectateurs que «ce soir ce n'est pas très fameux». Aussi les gens en sont-ils d'autant plus rassurés quand il peut leur annoncer que le film de la semaine suivante sera «formidable» ou «sensationnel».
20 Généralement on préfère les films français, mais quelques films étrangers sont également populaires. Certains films américains leur plaisent beaucoup, mais d'autres leur paraissent insultants par leur naïveté et leur manque de réalisme. Hopalong les fait rire, parce que, disent-ils, il n'a pas besoin de
25 s'arrêter pour recharger ses pistolets! Si le film américain a une fin heureuse tandis qu'il devrait logiquement se terminer mal, les Peyranais se sentent lésés. Mais somme toute, ils acceptent ces films tels qu'ils sont et ils n'expriment spontanément ni louanges ni critiques.
30 Pendant la séance, personne n'applaudit, ne siffle ou ne frappe du pied. A l'entracte, de 10 à 15 minutes, pendant que l'opérateur change de bobines, les hommes quittent leur chaise et prennent un verre de bière, de vin ou de sirop de fruit. Les femmes, d'habitude, ne bougent pas.
35 Un peu avant minuit tout est fini. Chacun quitte la salle

de café en silence et rentre chez soi, pères et mères portant dans leurs bras les jeunes enfants endormis.

Et il en est ainsi chaque mardi soir. Une seule exception à signaler: le soir où passe le film *Marius* tout le village s'agite. Certaines personnes l'ont déjà vu huit ou dix fois, et elles ne 5 l'en aiment que davantage. Ce soir-là, la bonne humeur règne, les gens ont le sourire facile, ils semblent même heureux d'être ensemble. Et l'on a l'impression qu'ils sont tous pris comme dans une adoration collective et que pour une fois ils forment un groupe presque homogène. 10

*Marius* est un film de Pagnol [5] qui montre un jeune homme déchiré entre son amour pour la mer et celui d'une jeune fille. Les deux familles, la jeune fille elle-même, et tout leur quartier, dont la vie a pour centre le bar du père de Marius, sur un quai du port de Marseille, tous essaient de persuader au 15 jeune homme d'épouser Fanny et de se fixer. Fanny finit par se rendre compte que le foyer et le mariage ne rendront jamais Marius heureux, et qu'il fera un mauvais mari et un mauvais père. C'est Fanny elle-même qui finalement le fait partir pour la mer et l'aventure. 20

Raimu est l'acteur principal de ce film, un des acteurs les plus populaires et les plus aimés du cinéma français. Il tient le rôle de César, le père de Marius, gros cafetier méridional qui dissimule son sentimentalisme sous les pointes spirituelles qu'il lance à ceux qu'il aime bien. César incarne l'humour et 25 le pathos du Méridional type.

[5] Auteur dramatique né en 1895 dans le département voisin des Bouches-du-Rhône, et devenu membre de l'Académie française en 1946. La trilogie *Marius-Fanny-César* a été adaptée par Joshua Logan et S. N. Behrman pour en faire une comédie musicale qui a eu un grand succès à Broadway en 1956. Actuellement, en 1960, Logan est en train de tourner un film basé sur la trilogie mais dont le sens est profondément différent du film original. Il est intéressant de noter dans la version américaine que la femme remplace l'homme comme personnage principal et que le dénouement du film est particulièrement heureux. Les spectateurs français préféreraient le dénouement tragique de *Marius*. «C'est comme ça la vie!»

*César fait la morale à son fils, Marius*

*Fanny défend son futur foyer dans ce combat entre l'amour et la folie*

152

Bien que filmé en 1932, *Marius* est toujours populaire en
France, surtout dans le Midi. «*Marius*, c'est tellement comme
la vie! C'est tellement comme ça!»

Ainsi donc *Marius* est pour les gens de Peyrane un film
réaliste. Alors qu'objectivement et littéralement ce mélange 5
de farce, de mélodrame n'est rien moins que réaliste. Comment
peut-il donner aux Peyranais l'illusion de la vie?

Il n'est pas facile de trouver des gens plus réalistes que
les Peyranais. «C'est comme ça» est une de leurs phrases
favorites. Ils se plaignent sans cesse des difficultés de la vie, 10
mais dès leur jeunesse ils apprennent à les affronter et à les
surmonter. Totalement seuls. Sans le moindre secours de la
part des «autres». Chacun doit savoir trouver toute consola-
tion en soi uniquement.

Que viennent-ils donc chercher auprès de *Marius?* Ces 15
gens qui, en dépit de tous les fléaux que leur infligent la nature
et le gouvernement, s'efforcent quand même d'élever une
famille et de vivre aussi harmonieusement que possible avec
«les autres»?

Ils se voient facilement dans le rôle de César, le père 20
malheureux, si bien joué par Raimu. Et nombreux sont ceux
qui, consciemment ou inconsciemment, partagent le violent
désir de Marius: «Partir . . . N'importe où, mais très loin.
Partir.» Lui partira, mais eux resteront. «C'est comme ça.»
Derrière la farce et le mélodrame, la situation est pour eux 25
psychologiquement réaliste.

Plus cultivés ou plus blasés, ils prendraient goût à des
poètes comme Baudelaire, Rimbaud ou Mallarmé.[6] Ils com-
prendraient même fort bien le poète Henri Michaux [7] quand
il s'écrie: 30

Emportez-moi dans une caravelle,
Dans une vieille et douce caravelle,

[6] Trois grands poètes français, auteurs respectivement des «Fleurs du
Mal», du «Bateau Ivre», et de «L'Après-Midi d'un Faune».
[7] Un des plus originaux poètes contemporains, né en 1899.

Dans l'étrave, ou si l'on veut, dans l'écume,
Et perdez-moi, au loin, au loin.[8]


# QUESTIONS

1. Quelles sont les différentes fonctions du café du village?
2. Qu'est-ce qu'un «tabac»? 3. Pourquoi peut-on dire que le café est une sorte de bureau de renseignements? 4. De quoi le cafetier dépend-il pour gagner sa vie? 5. Pourquoi les «solitaires» du village ne sont-ils d'aucun profit au cafetier? 6. A quels moments et en quelles occasions le cafetier gagne-t-il un peu d'argent?

7. Qui vient prendre l'apéritif au café à midi? 8. Sur quels sujets la conversation porte-t-elle à l'apéritif de midi? 9. Décrivez l'apéritif du soir et ceux qui viennent le prendre au café. 10. Sur quoi porte la conversation à l'apéritif du soir? 11. Que se passe-t-il lorsqu'un homme tarde à rentrer dîner chez lui? 12. Si sa femme vient chercher son mari au café, que lui dit-elle? 13. Que se passe-t-il au café, le soir? 14. Pourquoi le cafetier et sa femme se plaignent-ils de leur sort? Ont-ils raison? Expliquez.

15. A quels moments de l'année, et à quelles heures, joue-t-on aux boules à Peyrane? 16. Où ont lieu les concours de boules? 17. Qu'est-ce que le «bouchon»? 18. Qu'est-ce qui rend une partie de boules particulièrement intéressante pour les spectateurs?

19. A quels jeux de cartes joue-t-on à Peyrane? 20. Le cafetier aime organiser des concours de «belote»: pour quelle raison? 21. Quels prix le cafetier offre-t-il aux gagnants; pourquoi? 22. Comment le cafetier met-il en appétit les concurrents éventuels? 23. Pourquoi les concours de «belote» sont-ils moins spectaculaires que les concours de boules? 24. Donnez le nom de quatre cartes à jouer. 25. Les joueurs de cartes se disputent-ils? Pourquoi, quand et de quelle façon?

---

[8] Première strophe de «Emportez-moi», *Mes Propriétés*, 1929.

26. Quelle sorte de cinéma trouve-t-on à Peyrane et aux environs? 27. Quelle sorte de films passe-t-on au village? 28. Racontez le film *Marius*. 29. Pourquoi *Marius* est-il si populaire? 30. Paraphrasez les quatre vers du poète Michaux, et expliquez-les.

## LES TRAVAUX DOMESTIQUES

La soirée au cinéma représente le seul moment où les
femmes de Peyrane vont au café-tabac autrement que pour
acheter un litre de vin ou des timbres-poste, ou bien pour
bavarder avec la femme du cafetier. En général les femmes
5 n'entrent jamais au café pour boire ou pour jouer aux cartes.

Rien dans le village ne réunit les femmes comme les
concours de boules et de belote rassemblent les hommes. Il
est difficile d'imaginer les femmes abandonnant leur travaux
variés pour aller se distraire ensemble. Les hommes sont
10 plus libres de faire ce qui leur plaît. En groupe ils peuvent
jouer, boire, ou simplement ne rien faire. Les femmes, elles,
doivent s'occuper, elles doivent travailler.

Sa journée est si pleine qu'elle doit s'arranger pour se
trouver des distractions tout en travaillant. Elle pourrait, par
15 exemple, en finir rapidement avec son marché et ses courses de
chaque jour, mais tout le long de sa route elle s'arrête afin
de bavarder avec les autres femmes qu'elle rencontre. A l'épicerie, en attendant son tour, elle bavarde avec les autres ménagères. Puis, une fois servie, elle bavarde avec l'épicier. Chez
20 le boulanger, chez le boucher, la même scène se répète. Quand
elle rentre enfin chez elle, elle est au courant de toutes les
dernières nouvelles locales, et cette sortie lui a un peu changé
les idées.

*M<sup>me</sup> Groffat apporte
l'eau pour la vaisselle*

Les femmes qui habitent hors du village proprement dit, ne viennent faire leurs courses à Peyrane qu'une ou deux fois par semaine. Elles ont donc moins d'occasions de se sortir de leur isolement et de quitter leurs besognes quotidiennes. Voici ce qu'une des élèves de la classe du Certificat d'études a pu écrire sur: «Une journée de votre mère à la ferme»:

> Maman se lève à cinq heures. Elle allume le feu et prépare une tasse de café pour papa. Elle prépare le petit déjeuner, vient nous réveiller, et elle nous donne notre petit déjeuner. Puis elle va donner à manger aux lapins et aux chèvres; elle fait sortir les poules et elle leur donne à manger. Puis elle prend son petit déjeuner avec papa. Ensuite elle fait sortir les chèvres, balaie la maison, lave les assiettes, soulève la poussière, nettoie les chambres, lave le carrelage de la cuisine, des chambres et du corridor. Puis elle prépare le déjeuner, lave les vêtements de ma sœur. Puis elle met le couvert et nous déjeunons. Ensuite elle balaie autour de la table et se remet à faire une autre vaisselle. Elle met les asperges en bottes, les lave et les porte au bord de la route. Puis elle va aider papa dans la vigne, où il travaille depuis le matin. Elle

*M<sup>me</sup> Fratani fait la lessive*  *Marthe Charrin ramène
sa vache des prés*

rentre à la maison préparer un goûter pour papa. Elle sort
ensuite ramasser de l'herbe pour les lapins. Il fait noir
quand elle revient. Elle leur donne à manger ainsi qu'aux
poules, ferme le poulailler et ramasse les œufs de la journée. Elle donne à manger aux chèvres et aux poussins et
elle remet les poussins dans leur boîte. Alors elle va traire
les chèvres. Avant de sortir chercher l'herbe des lapins
elle avait commencé à préparer le dîner, trié les légumes
et allumé le feu. Quand elle revient à la nuit, elle met le
couvert et nous dînons. Puis nous allons nous coucher.
Maman raccommode nos vêtements. Papa écoute la radio
ou lit le journal. Ils vont enfin se coucher parce que le
lendemain ils doivent se lever de bonne heure pour aller
cueillir les asperges.

En un jour comme celui-ci, la pauvre maman ne voit
guère que les membres de sa famille. Ses voisins habitent
à quelques centaines de mètres seulement. Mais ils sont tout
aussi occupés qu'elle, et ce ne serait pas «sérieux» de sa part
5 d'aller leur faire visite et perdre ainsi son temps. Les seules
autres femmes qu'elle peut rencontrer sont celles qui, comme

*158*

elle-même, vont porter sur le bord de la route les bottes d'asperges que Monsieur Borel ramasse dans son gros camion une fois
par jour. Il n'est donc pas surprenant que la fermière attende
avec impatience le petit voyage du samedi matin au marché
d'Apt. A cause de son isolement sa vie est très différente de 5
celle que mènent les femmes qui demeurent au village.

Car, outre les courses de chaque jour, les femmes du village peuvent s'arranger pour faire ensemble divers travaux:
couture, crochet, raccommodage, etc., autour d'une tasse de
thé ou de café. 10

*La fermière attend avec impatience*
*le petit voyage du samedi matin au marché d'Apt*

### LES COMMÉRAGES

Hommes et femmes, dans leurs divers groupes, ne se font pas faute de bavarder, les femmes un peu plus que les hommes peut-être, car ceux-ci parlent de sports et de politique plus que des potins locaux.

5     Chez les femmes, en plus des commérages portant sur la vie et la conduite des autres, un sujet fréquent de conversation est le coût de la vie.

    — Je viens d'acheter de la laine chez Reynard, dit Madame Peyroux. Eh bien, ça recommence. La pelote de laine coûte 10 dix francs de plus que la semaine dernière. *Ils* augmentent d'abord le prix de la laine, puis c'est le tour du café, puis c'est le sucre. Et quand la liste est terminée, *ils* recommencent!

    Après avoir bavardé ainsi de la cherté de la vie, du bon temps d'autrefois, celui d'avant-guerre, etc., les femmes se 15 séparent, détendues. Soulagées d'avoir pu parler de leurs difficultés personnelles et d'avoir peut-être critiqué quelques

*Bavarder, ça soulage, ça repose un peu . . .*

personnes importantes du village — le maire ou le secrétaire de mairie — elles rentrent chez elles mieux disposées à accomplir leurs multiples besognes.

## LA VEILLÉE

Beaucoup d'hommes ne vont presque jamais au café. Beaucoup de femmes ne font partie d'aucun groupe féminin de 5 petits travaux. La nuit tombée, ces gens restent simplement chez eux, derrière leurs volets clos, et ils passent tranquillement la soirée en famille.

Les soirées sont courtes. En hiver le dîner ne se termine pas avant 8 heures, et en été la table n'est jamais desservie 10 avant 9 heures. Pendant l'année scolaire, les enfants ont des leçons à apprendre et des devoirs à faire. Tous assis à la grande table de la «salle», les aînés aident les plus jeunes, et de temps en temps les parents sont consultés. Le père lit le journal ou écoute les nouvelles à la radio. Il écoute parfois l'émission qui 15 suit les nouvelles, pendant que la mère fait de la couture, du repassage ou du tricot. Il se peut qu'un ami vienne passer quelques instants avec la famille, mais c'est toujours dans un but très précis. La visite ne dure pas. Vers 10 heures la famille est prête à se coucher. 20

Une fois ou deux par semaine, la famille est invitée à passer la soirée dans une autre famille. «Faire la veillée chez des amis» est la distraction favorite des Peyranais. Distraction qui a ses rites précis et subtils. Les hommes se rasent pour l'occasion. Hôtes et invités s'habillent un peu, sans toutefois 25 mettre leurs habits du dimanche. Accompagnés de tous les enfants, les invités arrivent chez leur hôte aussitôt que possible, c'est-à-dire la vaisselle une fois faite. La conversation est simple et gentille. On s'informe de la santé et des travaux des uns et des autres. La maîtresse de maison sert le café. 30 Le mari sort du buffet une bouteille de son *marc*.[1] Mais tout

---

[1] Eau-de-vie («brandy»), obtenue en distillant le résidu des raisins qui ont été pressés pour donner le vin.

le monde n'est pas obligé d'en boire, car c'est un alcool très fort. Les hommes qui en prennent le boivent pur. Ils le dégustent goutte à goutte pendant toute la soirée. Une femme en prend parfois quelques gouttes, dans un petit verre avec
5 un morceau de sucre: elle suce le sucre après l'avoir trempé dans le marc.

Quelquefois on joue aux cartes. Mais la plupart du temps la conversation est si vivante qu'aucune distraction organisée n'est nécessaire.

10 Une vieille tradition — qui se perd de nos jours — la *castagnade*, consiste à faire rôtir des châtaignes dans les cendres de la cheminée. Un bon vin blanc les accompagne, car de même que le vin rouge se marie bien avec le fromage, de même le vin blanc se marie bien avec la châtaigne.

15 La conversation ne s'arrête jamais. Quand les verres et les tasses sont vides, et que les gâteaux, tartes, biscuits, sont terminés, la soirée est finie. On réveille les enfants endormis. On rit de l'expression de ces petits «mignons» à leur réveil. Les invités remercient leurs hôtes. Tous se serrent la main et se
20 séparent.

## QUESTIONS

1. A quelles occasions les femmes vont-elles au café-tabac?
2. Comment les femmes s'arrangent-elles pour se distraire tout en travaillant? 3. D'après la composition française d'une élève de la classe du Certificat d'études, quels sont les divers travaux de sa mère à l'intérieur de la maison? 4. Que fait sa mère en dehors de la maison? 5. En quoi la vie de la fermière est-elle différente de celle de la villageoise?

6. Sur quoi portent les commérages des femmes? 7. Quel rôle ces commérages jouent-ils dans la vie des femmes? 8. Quelle influence ont-ils sur leur vie?

9. Que font la plupart des familles le soir après dîner? 10. Que signifie «faire la veillée chez des amis»? Qu'y fait-on? 11. En quoi consistait autrefois la «castagnade»?

# FÊTES LOCALES 13

## LES JOURS DE FÊTE D'AUTREFOIS

Les anciens du village prétendent qu'autrefois, avant la guerre, la routine quotidienne se trouvait interrompue en de nombreuses occasions, et tout le monde attendait ces jours de fête avec impatience.

Pour le Premier de l'An, les gens allaient les uns chez les 5 autres se souhaiter la bonne année. A l'Épiphanie, entre amis, on se partageait un gâteau en forme de couronne, contenant une fève ou un petit roi en porcelaine (ou une petite reine). La personne qui le trouvait dans sa part de gâteau devait offrir un autre gâteau le dimanche suivant. A la Chandeleur, on 10 allait à la messe faire bénir un cierge qu'on allumait ensuite à la maison pendant les orages. Puis suivaient le Mardi-Gras — le Carnaval — la Mi-Carême, les Rameaux (des branches d'oliviers remplaçant les feuilles de palmiers), Pâques et la Pentecôte. 15

Puis, après la Pentecôte, aux Rogations, le prêtre, accompagné de nombreux fidèles, faisait une procession à travers la campagne environnante, s'arrêtant brièvement devant plusieurs petits autels provisoires le long du chemin. Le jour de la Fête-Dieu, une autre procession avait lieu, dans le vil- 20 lage cette fois. Les femmes tendaient des draps blancs sur la façade de leur maison, et le prêtre bénissait au passage chaque maison. Pendant la nuit de la Saint-Jean, les gens allumaient partout des feux de joie. Toute la campagne en était parsemée. Et, sur les montagnes voisines, les bergers solitaires en faisaient autant.

Le 15 août, le jour de l'Assomption, le prêtre conduisait
5 un petit pèlerinage à la chapelle de Saint-Michel, à huit cents mètres au-dessous du village, et il y célébrait la messe annuelle. Vers la fin de septembre, la fête du saint patron de Peyrane, saint Michel, était l'occasion, pendant toute une semaine, de cérémonies et de réjouissances. Un mois plus tard,
10 c'était la Toussaint (le 1er novembre), et le Jour des Morts (le 2 novembre), deux journées passées entièrement à l'église, au cimetière et chez soi. Pas de visites entre amis, les veillées se passant entièrement en famille. A Noël, après la messe de minuit, dans chaque maison on faisait, sous le nom de réveil-
15 lon, l'un des plus grands et des plus longs repas de l'année.

Autrefois, il y avait encore beaucoup d'autres fêtes. Les commerçants et les artisans avaient chacun leur jour: les menuisiers et charpentiers, le jour de la Saint-Joseph, les forgerons célébraient la Saint-Eloi, les cordonniers la Saint-
20 Thomas. Le 15 août était dédié aux maçons.

Aujourd'hui, ce même 15 août, jour de l'Assomption, n'est plus réservé aux maçons. Le réveillon n'est plus guère qu'un modeste repas. Il n'y a plus de procession à la chapelle de Saint-Michel, désaffectée depuis des années. Il n'y a pas non
25 plus de procession dans les rues du village le jour de la Fête-Dieu. Aujourd'hui, les seules grandes fêtes généralement et fidèlement observées sont: la Toussaint, Noël et sa messe de minuit, la fête du saint patron du village, et celle des pompiers.

### LA TOUSSAINT

La Toussaint et le Jour des Morts se mêlent quelque peu
30 dans l'esprit des Peyranais, qui sont plus sensibles au souvenir des morts de leur famille qu'à la fête de l'Église. Pendant les derniers jours d'octobre, ils nettoient soigneusement les tombes de la famille. Ils arrachent les mauvaises herbes et ils ratissent

au cimetière le gravier des allées. Beaucoup d'anciens Peyranais reviennent au village ces jours-là pour la visite annuelle
des tombes de la famille qui y sont enterrés. Et quelques personnes habitant actuellement Peyrane vont porter des fleurs
sur les tombes de leurs morts dans les villages voisins.     5

Tout le monde est habillé de noir. On s'embrasse avec
chaleur mais sans gaîté, car l'occasion est solennelle.

Le cimetière, normalement désert, est toute la journée
plein d'hommes et de femmes qui arrangent des fleurs sur les
tombes qu'ils ont nettoyées les jours précédents.     10

Après les Vêpres, le prêtre prend la tête d'une procession
qui mène les fidèles au cimetière pour y réciter ensemble les
prières des morts. Beaucoup de gens qui ne vont jamais normalement à l'église se joignent à la procession et participent à
la cérémonie au cimetière.     15

Ce jour-là, les gens ne vont pas les uns chez les autres.
Chacun rentre rapidement à la maison. A l'apéritif du soir le
café reste désert.

### LA MESSE DE MINUIT

Une atmosphère de solennité religieuse domine les fêtes
de la Toussaint, bien que peu de gens assistent à la messe au  20
cours de ces deux jours-là. Presque tout le monde au contraire
se rend à la messe de minuit, la veille de Noël, les gens pieux
et ceux qui ne le sont pas. Beaucoup y vont un peu dans le
même esprit qu'ils vont à la Distribution solennelle des prix
à la fin de l'année scolaire.     25

Comme l'église ce soir-là est pleine, le curé s'efforce
d'offrir une belle cérémonie à ses fidèles d'un soir. Tout
d'abord, il organise un chœur, ce qui n'est pas facile, car il
n'y a pas assez de jeunes gens et de jeunes filles parmi les
catholiques pratiquants. Il se voit donc obligé, malgré lui,  30
de recruter chanteurs et chanteuses dans des milieux parfaitement indifférents aux choses de la religion. Il n'a en tout cas
aucun mal à former cette chorale, car les familles, quelles que

soient leurs affiliations politiques ou leurs convictions religieuses, sont toujours fières de voir leurs enfants se produire en
public.

Mais comme la musique ne tient pas beaucoup de place
5 dans la vie peyranaise, le curé a tout de même beaucoup de
difficultés à mettre sa chorale au point. L'harmonium est tenu
par l'une des fidèles paroissiennes, la postière, Mademoiselle
Héraud. Quelque temps avant Noël, elle passe tous ses loisirs
dans la vieille église, humide et froide, à préparer ses mor-
10 ceaux. Pour le morceau principal, le Minuit Chrétien, un
ancien chanteur parisien de music-hall, Monsieur Gérard, est
toujours heureux d'offrir ses services au curé. Marié jadis à
une femme de Peyrane, il s'est trouvé «fatigué» et il s'est re-
tiré définitivement dans le Midi pour raisons de santé.

15 Pour la messe de minuit, tous les bancs de l'église sont
occupés, et une trentaine de personnes se tiennent debout à
l'entrée. Tout le village semble être là, y compris plusieurs
communistes, anticléricaux et libres-penseurs (avec leur famille).

20 Les assistants prêtent toute leur attention à la musique et
surtout aux chants provençaux interprétés par le chœur de
jeunes filles. Puis Monsieur Gérard entonne le traditionnel
Minuit Chrétien. Ce chant constitue le point culminant de la
cérémonie, car aussitôt après, et tandis que la messe continue,
25 l'église commence à se vider.

Certains rentrent directement chez eux. D'autres vont
se réchauffer au café près du poêle tout en buvant un verre de
rhum. Ils ne savent pas très bien quoi penser de la fête religieuse, mais ils savent reconnaître les efforts du curé.

30 —Il fait certainement de son mieux, disent-ils tous. Il
avait bien préparé sa chorale de filles. Quant à Monsieur
Gérard, il est toujours magnifique. L'harmonium? La postière?
Pas moyen de savoir si c'était le curé ou l'harmonium qui tous-
sait!

35 Quelques personnes vont chez des amis manger du pâté
et des gâteaux et prendre un verre, mais, plutôt par indifférence

que par pauvreté, il n'y a plus de vrais réveillons à Peyrane.

Il y a plusieurs années, quelques jours après Noël, un journal de Marseille a publié un petit article sur «La Messe de Minuit à Peyrane», article écrit par l'un des bons paroissiens du village — directeur par surcroît du bureau local de tou- 5 risme. La description était si différente de la réalité que même les gens pieux en ont souri.

### LA SAINT-MICHEL

La fête du saint patron de Peyrane, la Saint-Michel, est incontestablement la plus importante de l'année. Dès le début de septembre, le comité des fêtes de la municipalité organise 10 les réjouissances de la journée, et il fait poser dans toute la région de grandes affiches:

#### COMMUNE DE PEYRANE

#### FÊTE VOTIVE DE LA SAINT-MICHEL

samedi 28 septembre, au Café Voisin
    20 h., CONCOURS DE BOULES-PÉTANQUES
                    Deux joueurs par équipe
                    Trois boules chaque
                    Plusieurs prix de 5000 francs
    21 h., Programme cinématographique extraordinaire

dimanche 29 septembre
    10 h., au Café Voisin
        CONCOURS DE BOULES A LA LONGUE
                    Équipes de 3 joueurs tirées au sort
                    Plusieurs prix de 5000 francs
    14 h., au Café-Hôtel Vincent
        JEUX ET COURSES POUR TOUS
                    Enfants, femmes, grands-pères
                    Courses de sacs, Courses de 100 mètres
    16 h., Place de la Poste
        CONCERT SYMPHONIQUE
                    par l'orchestre du Maestro
                    PIERRE MONTI

*Les jours de fête on danse souvent dans les rues*

17 h., Grande Salle des Fêtes
OUVERTURE DU BAL
avec le célèbre
PIERRE MONTI
et son formidable chanteur
YVES RICHARD
*Entrée gratuite*
*La ville vous invite*
20 h., Illumination des bâtiments publics et des monuments
DÉFILÉ DES CLAIRONS APTÉSIENS
21 h., Feux d'artifice formidables sur la colline surplombant
LES MAGNIFIQUES FALAISES DE PEYRANE
22 h., Grande Salle des Fêtes

A des annonces de ce genre les gens viennent en foule
de tous les environs. La Saint-Michel à Peyrane passe pour la
mieux réussie du département du Vaucluse. Chaque année,
près de 200 voitures viennent ce jour-là au village. Cinq cars
spéciaux amènent du monde de tous les villages et de toutes les   5
villes de la région. Des motos et des vélos sont garés un peu
partout. Les rues et les cafés sont des plus animés. La grande
cour de récréation, devant l'école, se transforme en champ de
foire: des stands de tir, de bonbons, des balançoires pour les
enfants et les grandes personnes, un manège, des loteries, etc.   10
Le tout dans un bruit assourdissant. Chaque stand ou boutique
a un tourne-disques qui marche sans arrêt, toute la journée et
toute la soirée, et la musique est violemment diffusée par des
haut-parleurs stratégiquement disposés à travers le village.

Peyrane grouille de gens venus voir le défilé et les feux d'artifice. Aux différents bals il y a un monde fou. Les joueurs de boules sont absorbés par leurs concours. Seuls «les jeux et courses d'enfants, de femmes et de grands-pères», 5 annoncés au programme, n'ont pas lieu. L'explication, donnée par Madame Vincent, en est fort simple: «Voilà. Les membres du Comité des Fêtes ont voulu faire sur leurs affiches un peu de publicité à notre restaurant. Ils ont pensé que c'était une bonne idée de le faire comme ça!»

10 Comme pour la Toussaint, beaucoup d'anciens habitants de Peyrane reviennent au village pour la Fête de la Saint-Michel. Mais cette fois, la joie règne. Les gens s'embrassent gaiement dans les rues et ils échangent des plaisanteries et des souvenirs heureux. Ils sont contents de revoir des parents et 15 des amis qu'ils n'ont pas vus peut-être depuis longtemps. Il y a de grands repas dans toutes les familles.

Cette dernière semaine de septembre est, pour le boucher, la meilleure de l'année. Tous les artisans et les commerçants ont plus de travail que jamais. Le café a de vrais clients toute 20 la journée et tard le soir. Les enfants dépensent leurs quelques sous en bonbons et en tours de balançoires. Et enfin, le clou des réjouissances, le déjeuner de la Saint-Michel, est toujours le plus grand repas de l'année.

Autrefois, la Saint-Michel était la fête religieuse la plus 25 suivie de toutes les fêtes, avec procession et un pèlerinage à la petite chapelle dédiée à Saint-Michel. Le curé était l'organisateur et l'animateur de la journée.

Aujourd'hui, le curé se contente de dire une messe spéciale pour quelques rares fidèles. La fête est définitivement sécu-30 larisée. Elle se trouve désormais placée sous les auspices du Conseil Municipal.

Et pourtant le curé, né et élevé dans le Vaucluse, ne semble pas particulièrement triste et accablé. Bien que différent de ses compatriotes par la foi et la dévotion religieuses qui 35 l'animent, il leur ressemble à d'autres égards. Il est capable, comme eux, d'accepter la désagréable réalité pour ce qu'elle est. Il sait d'ailleurs que des prêtres, plus jeunes que lui, refusent d'accepter cette situation et qu'ils organisent des équipes de football et des troupes de scouts pour gagner la jeunesse à l'Église. Mais il a, lui, des doutes sur l'efficacité de ces méthodes modernes, et il craint bien que les Peyranais ne soient 5 profondément et inéluctablement indifférents aux choses de l'Église. Leur sentiment religieux se porte plutôt sur la famille.

## QUESTIONS

1. Enumérez, dans l'ordre chronologique, les grandes fêtes religieuses de l'année. 2. Que faisait-on autrefois le jour de l'Épiphanie? 3. Comment célébrait-on la Fête-Dieu? 4. Que faisait-on pendant la nuit de la Saint-Jean? 5. Comment célébrait-on la fête de l'Assomption?

6. Que font maintenant les Peyranais pour la Toussaint et le Jour des Morts? 7. Où va le prêtre, après les vêpres? Avec qui? Pourquoi?

8. Qu'est-ce que le curé s'efforce de réaliser à l'occasion de la messe de minuit? 9. Pourquoi? Et comment s'y prend-il? 10. Quelles difficultés rencontre-t-il? 11. Quels résultats obtient-il? 12. Qui va à la messe de minuit? Expliquez pourquoi. 13. Que font les gens en quittant l'église? 14. Qu'est-ce que le réveillon?

15. Quel jour de l'année célèbre-t-on la Saint-Michel? 16. Résumez le programme du dimanche. 17. Décrivez le village ce jour-là. 18. Pourquoi les organisateurs ont-ils annoncé des jeux et des courses devant le restaurant Vincent, sachant fort bien qu'ils n'auraient pas lieu? 19. Quelles différences de comportement observe-t-on chez les Peyranais le jour de la Toussaint et le jour de la Saint-Michel? 20. Montrez le contraste entre l'ancienne fête de la Saint-Michel et la nouvelle. 21. Faites un bref portrait du curé de Peyrane. 22. Qu'est-ce que le curé pense des Peyranais?

L'étranger qui traverse Peyrane à pied a facilement l'impression que le village est un village de vieillards, surtout lorsque les enfants sont à l'école.[1] Alors qu'aux États-Unis, 12% de la population a plus de soixante ans, en France, la
5 proportion est d'environ 17%, et dans le village même de Peyrane elle atteint 25%.

Ceci ne veut pas dire toutefois qu'un quart de la population soit improductive et tombée en enfance. En effet, si soixante ans marque ici le début de la vieillesse, les gens ne
10 deviennent pas inactifs quand ils atteignent cet âge. Au contraire, quelques-uns des hommes les plus actifs de la commune ont en fait plus de soixante ans. Trois des cultivateurs réputés pour leur ardeur au travail ont respectivement 64, 67 et 71 ans, et les deux forgerons ont 68 et 70 ans.

15 Même si tous les gens âgés ne sont pas aussi vigoureux que ceux-ci, ils continuent à peu près tous à travailler aussi longtemps que possible. S'ils se voient obligés de renoncer à leur vie normale de travailleur, ils s'occupent de leur mieux. «Ils font de la bricole», c'est-à-dire qu'ils se rendent utiles
20 comme ils le peuvent. Monsieur Grandgeon fait la réparation des bicyclettes, et il cultive des fleurs qu'il vendra à la Toussaint. Mademoiselle Pamard donne des leçons de couture. Monsieur Favarel élève des poules et vend des œufs. Monsieur

[1] Voir pp. 198–199 l'impression très différente reçue en 1959.

*Les Grandgeon bavardent avec la voisine*

Anglade est le balayeur municipal. Madame Charrin vend le lait de sa vache. Madame Pernet distribue les journaux.

D'autres se contentent d'aider — comme les enfants — aux petits travaux de la ferme ou de la maison: ils ramassent le bois mort et l'herbe pour les lapins; ils cueillent des champignons; 5 ils surveillent les tout petits; ils cultivent un jardin; ils gardent les moutons et les chèvres, etc.

Le Code Civil spécifie que les enfants ont l'obligation légale d'entretenir leurs parents dans le besoin, mais à Peyrane la loi n'a pas besoin d'être appliquée, car ici le code moral 10 exige en plus de la part des enfants, amour, respect, crainte et obéissance. Bien sûr, les rôles sont parfois renversés lorsque, par exemple, le père ou la mère tombe en enfance. Ils sont alors traités tout simplement comme des enfants par leurs propres enfants. 15

Les seuls vieillards qui se plaignent sont ceux qui vivent désormais seuls parce que leurs enfants sont allés s'établir à la ville. Bien que ceux-ci envoient de temps en temps un peu

# LA VIEILLESSE

d'argent aux vieux parents (pas beaucoup parce qu'eux-mêmes ne sont pas riches, mais juste assez pour soulager leur conscience) les parents sont parfois amers:

«A quoi bon peiner et se sacrifier pour élever des enfants
5 qui une fois grands vont habiter ailleurs? Ils vous abandonnent et ils n'ont aucune reconnaissance pour tout ce que vous avez fait pour eux!»

Peu de vieillards sont riches. Toutefois beaucoup ont des revenus variés et non négligeables. Certains tirent leur revenu
10 des fermes qu'ils possèdent, soit qu'ils les louent soit qu'ils les confient à un métayer. D'autres ont vendu une petite propriété ou un immeuble ou un commerce, ou bien ils en reçoivent un loyer modeste et régulier.

La Sécurité Sociale enfin prévoit — depuis la Seconde
15 Guerre Mondiale — une assurance-vieillesse pour tous: salariés, artisans et cultivateurs. Mais cette retraite des «vieux travailleurs» et des «économiquement faibles» est encore insuffisante car les versements individuels ont commencé trop récemment.

20 En dernier ressort, les indigents peuvent toujours compter sur la charité des gens du village et de la municipalité. Tout le monde sait, par exemple, que le vieux Maucorps a pour tous biens la maison où il habite, les vieux vêtements sales et déchirés qu'il a sur le dos, son chien à dépister les truffes, et son
25 bout de jardin au pied de la colline. Outre le pain qui ne lui coûte rien — puisque le boulanger le lui donne ou que la municipalité le lui paie — il peut toujours compter sur un déjeuner gratuit à la cantine de l'école. De temps en temps il vend quelques truffes ou des légumes pour se payer son vin et son
30 tabac. Au café il y a toujours quelqu'un pour lui offrir un verre ou des cigarettes. Et c'est ainsi que Maucorps, l'homme le plus pauvre de Peyrane se tire d'affaire: il n'est point riche, mais il n'est jamais dans la misère. Comme il le dit lui-même: «Un jour pousse l'autre, et la vie continue.» A 75 ans (en 1951), il
35 ne s'attend pas à vivre éternellement. Selon le vieux proverbe provençal qu'il a plaisir à citer:

Entre setanto e quatre-vint
Pau de gènt reston sus lou camin.

C'est-à-dire:

Entre soixante-dix et quatre-vingts ans
Peu de gens restent sur la route.          5

### ATTITUDE DES VIEILLARDS DEVANT LA MORT

Devant la mort, les vieillards sont généralement résignés.
Ils semblent vouloir être aussi raisonnables devant la mort
qu'ils l'ont été devant la vie. Avec bien entendu d'importantes
variantes selon la santé, la foi religieuse, le bien-être matériel
de chacun, et l'affection dont ils sont ou ne sont pas entourés.   10

Le bien-être matériel dont jouit le vieux Maucorps est
certainement très restreint. Sa santé n'est ni bonne ni mauvaise.
Il n'a pas de proches parents; il n'a personne à aimer ou qui
puisse l'aimer (sauf son chien). Les gens du village ont pour
lui une certaine affection (tout en le taquinant gentiment), et   15
il le sait. Il n'est pas entré dans une église depuis la mort de
sa mère il y a cinquante ans. Il n'a donc pas, semble-t-il,
grand-chose à attendre de la vie — ou de la mort. Et pourtant,
peu de gens plus jeunes, plus riches, et en meilleure santé,
ont autant de goût pour la vie.   20

La Mélanie, 97 ans, est encore plus alerte que Monsieur
Maucorps. Borgne, et sourde d'une oreille, elle vit avec sa fille,
célibataire et infirme. Ce sont les deux personnes les plus
gaies du village. Moins pauvre que Monsieur Maucorps, la
mère est toutefois loin d'être riche. Elle non plus n'est point   25
pressée de mourir. «Quand le jour viendra», dit-elle, «em-
menez-moi; mais ça ne presse pas!»

L'attitude de Monsieur Marnas est différente. Il se plaint
sans cesse que le Bon Dieu ne le juge pas digne de le prendre.
Il a réglé toutes ses affaires terrestres, et il est prêt à partir. Il a   30
légué tous ses biens, c'est-à-dire l'une des plus belles propriétés
de la commune, à sa fille adoptive. C'est un des rares hommes
à aller régulièrement à la messe. Il est en paix avec Dieu.
Bien que toute sa vie il ait été bon citoyen et fermier modèle,

*La Mélanie, doyenne du pays*

il ne s'intéresse plus maintenant ni au village ni à la culture.
Sa santé est bonne, mais il n'a plus de goût pour le travail ou
pour les distractions. Il dit que depuis la mort de sa femme,
il y a quelques années, rien ne l'intéresse plus, mais les gens
5 du village (qui tous l'estiment et le respectent) prétendent
qu'il a toujours été mélancolique.

    Pierre Pian représente peut-être mieux le vieillard moyen.
Il a dû, bien sûr, ralentir son rythme de vie, mais il reste
encore aussi actif que possible. Il parle de vendre sa ferme et
10 de s'arrêter. Cela ne paraît ni le réjouir ni l'attrister. Il n'attend
point la mort, comme Monsieur Marnas, mais il ne la redoute
pas non plus outre mesure.

### L'HÔPITAL, LES OBSÈQUES ET L'ENTERREMENT

    De même que les Peyranais trouvent que les enfants
doivent naître à la maison et non à l'hôpital ou à la clinique
15 (voir page 25), de même ils pensent que les vieillards doivent
mourir chez eux, entourés des membres de leur famille qui,
seuls, peuvent vraiment avoir de l'affection pour eux.

— Oui, dit le fils de Monsieur Roche, premier adjoint au maire, 80 ans, l'hôpital m'a fait dire hier qu'il n'y avait plus rien à faire. Alors nous l'avons ramené à la maison. Et je vais maintenant chercher Monsieur le Curé.

Il y a aussi une raison pratique pour ramener un moribond 5 chez lui. La loi exige un permis spécial pour transporter un mort d'une commune à une autre commune. En ramenant son père chez lui, pour y mourir, le fils non seulement accomplit son devoir filial, mais il évite en même temps des formalités ennuyeuses. 10

Dans les vingt-quatre heures un certificat médical de décès doit être présenté à la mairie, accompagné du livret de famille. Le secrétaire de mairie délivre alors un permis d'inhumer. Et, sauf circonstances exceptionnelles, l'enterrement doit avoir lieu au moins vingt-quatre heures après la mort. 15

Pour régler la cérémonie religieuse, la personne de la famille qui s'est chargée des obsèques monte au presbytère, en haut du village. En théorie la famille peut choisir entre une «messe chantée» (pour laquelle elle est invitée à offrir d'ordinaire la somme de 1200 francs au curé) et une «messe 20 basse» (contre une offrande de 800 francs). Mais en fait, aucune famille ne tient à faire étalage de sa richesse, et tout le monde se contente d'une messe basse.

Avec le permis d'inhumer, le secrétaire de mairie donne aussi l'autorisation de se servir du corbillard municipal. Pour 25 2000 francs, un cultivateur — avec l'un de ses chevaux — le conduira de la maison du mort à l'église et de l'église au cimetière.

Comme il n'y a pas de menuisier à Peyrane le cercueil s'achète d'habitude à Apt: il coûte 4000 francs. 30

Au cimetière, la municipalité fait payer 630 francs le mètre carré de terrain pour une concession à perpétuité, et le fossoyeur demande 1800 francs pour creuser la fosse.

Après les obsèques, les membres de la famille du défunt doivent s'occuper de leurs vêtements de deuil. Pour les hom- 35 mes, porter le deuil peut consister à porter leurs vêtements du dimanche, puisqu'ils possèdent tous un complet noir et un chapeau noir. Et pour la vie de tous les jours, ils se contentent d'ajouter un ruban noir au chapeau ou plus simplement une rosette noire à la boutonnière. Les femmes s'habillent tout de 5 noir, et, si elles en ont les moyens, elles portent un long voile noir le jour de l'enterrement.

Tous les adultes sont censés aller à l'enterrement. Même au plus fort de la moisson, les hommes abandonnent leur travail le temps nécessaire. Les disputes et les rivalités entre les 10 familles sont provisoirement oubliées. Si une famille ne peut absolument pas assister au complet aux obsèques, un de ses membres tout au moins l'y représente. Et si, pour des raisons personnelles, quelqu'un ose s'abstenir de rendre, avec les autres, les derniers devoirs à un mort, tout le monde en est 15 indigné. Même si le mort n'a été aimé de personne sa vie durant, le respect lui est dû entre l'heure de sa mort et l'instant où il est descendu décemment dans la tombe.

Lorsque le prêtre arrive à la maison du mort, le cercueil est placé dans le corbillard, et fleurs et couronnes sont dis- 20 posées tout autour. Le prêtre, dans ses habits sacerdotaux, mène le cortège; derrière le corbillard marchent la famille, puis les amis, puis le reste de la population. A mi-chemin de la colline, là où commence la partie ancienne du village, sous la tour de l'horloge, le cortège s'arrête un instant pour donner 25 le temps au conducteur du corbillard de prendre un tournant difficile et de convaincre son cheval de bien prendre la petite rue étroite qui monte jusqu'à l'église.

On ouvre le grand portail, ordinairement fermé. Quatre hommes portent le cercueil à l'intérieur de l'église, et la messe 30 commence.

La plupart des femmes entrent, mais beaucoup d'hommes — qui ne sont ni parents ni amis du défunt — restent dehors à bavarder paisiblement. Certains même redescendent prendre un verre ou faire une partie de belote au café, sur la place. 35 Après la messe, le cortège se reforme. Le conducteur du corbillard doit maintenant retenir son cheval et actionner ses

*Les habitants de Peyrane prennent congé d'un des leurs*

freins, car la pente est forte, et tout près du cimetière le chemin suit de très près le bord de la falaise.

Autour de la tombe ouverte, tous les gens se tiennent, émus et recueillis, pendant la dernière bénédiction du prêtre. Quelques sanglots sont discrètement étouffés. Puis, chacun, 5 tour à tour, prend un peu de terre et la laisse tomber sur le cercueil au fond de la fosse. Et bientôt, il ne reste plus sur les lieux que le vieux Anglade, le fossoyeur, qui va refermer la tombe.

Peyrane, ses habitants et son église ont ainsi pris définitive- 10 ment congé d'un des leurs.

**179**

## QUESTIONS

1. Quel est le pourcentage, en 1951, des gens de plus de soixante ans, à Peyrane, en France, et aux États-Unis? 2. Que font certains vieillards pour ne pas rester inactifs? Donnez quelques exemples. 3. Est-ce que les vieillards sont abandonnés par leur famille? Pourquoi? Expliquez. 4. Y a-t-il des personnes âgées qui souffrent de la solitude? Pourquoi, et que disent-elles? 5. D'où certains vieillards tirent-ils leur revenu? 6. Qu'est-ce que la Sécurité Sociale prévoit pour les vieux qui ne peuvent plus travailler? 7. Sur quoi les indigents peuvent-ils toujours compter? 8. Expliquez la situation où se trouve M. Maucorps. 9. Comment M. Maucorps prend-il la vie?

10. Décrivez l'attitude de la Mélanie devant la mort prochaine. 11. Quelle est celle de M. Marnas? 12. Quelle est celle de Pierre Pian?

13. Où préfère-t-on mourir? Pour quelles raisons? 14. Quelles sont les formalités à remplir en cas de décès? 15. Faites la somme totale approximative des frais d'un enterrement à Peyrane en 1951. 16. Pourquoi peu de familles demandent-elles la messe chantée pour la cérémonie religieuse? 17. Comment le mort est-il transporté de chez lui au cimetière? Décrivez l'itinéraire suivi. 18. En quoi consiste le deuil porté par les membres de la famille du défunt? 19. Qui assiste à l'enterrement? Pourquoi? Expliquez. 20. Pendant la cérémonie à l'église, que font la plupart des hommes qui ne sont ni amis ni parents du mort?

PEYRANE EN 1959  **15**

## LE TOUT-À-L'ÉGOUT

En cet été de 1959 [1], l'automobiliste doit conduire avec précaution quand il entre dans Peyrane. Des tranchées sillonnent les rues; des tas de terre ocre les obstruent. Partout des Nord-Africains et des Espagnols font voler de la poussière ocre, quand ils ne s'arrêtent pas pour se reposer et se raconter des histoires. Les enfants sont ravis: ils jouent et se poursuivent à travers tous ces obstacles placés là comme pour les amuser.

Par les portes ouvertes des maisons l'on peut voir, prêts à être posés, des éviers et des cuvettes de cabinets de porcelaine, parfois une baignoire. Peyrane est en pleine transformation: on y installe le tout-à-l'égout.

En 1912, Peyrane avait été l'un des premiers villages du Vaucluse à installer l'eau courante dans la plupart des maisons. Aujourd'hui, Peyrane est encore l'un des premiers villages du département à s'offrir le luxe du tout-à-l'égout. Depuis des années le Conseil municipal en parlait, mais dans un village qui se mourait, le projet avait peu de chances d'aboutir.

Que s'est-il donc passé au cours de ces dix dernières années? C'est que Peyrane, comme le Midi tout entier, a peu à peu attiré les gens de la ville qui recherchent des maisons de campagne, soit pour les vacances, soit pour la retraite.

[1] Ce chapitre ne fait pas partie du livre *Village in the Vaucluse*. Il a été écrit spécialement pour ce livre scolaire.

*En 1959 Peyrane est en pleine transformation . . . Partout des Nord-Africains et des Espagnols font voler de la poussière d'ocre . . . Les enfants sont ravis*

Immédiatement après la Seconde Guerre Mondiale, quelques villages voisins, où toute vie agricole ou artisanale avait cessé, s'étaient transformés en villages pour estivants. Vers 1950, pour $60, un sociologue parisien a pu acheter à Gordes [2] une maison en ruines de cinq étages, et avec $2000 de plus il en a fait un logis de villégiature pittoresque et pratique. Ce qui a tant plu aux gens du pays que le Conseil municipal, fier de ce nouveau résident, a décidé d'acheter la propriété adjacente — en ruines également — et de lui en faire présent pour lui servir de jardin.

Puis les acheteurs se sont abattus sur Peyrane et ses falaises d'ocre. Les maisons des Charrin et des Leporatti qui valaient $500, en valent maintenant $2000. Pour la colline et le moulin qu'on m'offrait en 1951 pour $90 un acheteur éventuel en a offert récemment $3000. Le propriétaire les a refusés, car il en veut davantage. Des terrains qui ne trouvaient pas d'acquéreurs à $375 l'hectare valent aujourd'hui $5000 l'hectare.

Peyrane n'est plus un village agricole. C'est le centre administratif d'une petite région agricole. Et il est en train de devenir essentiellement un centre de villégiature: il peut donc s'offrir, raisonnablement, le luxe du tout-à-l'égout.

## LES CAFÉS

Il n'y a plus de maréchal-ferrant au village: les cultivateurs ont remplacé leurs chevaux par des tracteurs. Le vieux M. Jouvaud a fermé sa forge en 1951, et il est mort quelques années plus tard. M. Prayal a pris sa retraite lorsque son fils, Roger, est allé travailler à la ville dans une quincaillerie. Roger était le dernier d'une famille de neuf enfants qui tous maintenant gagnent leur vie ailleurs.

Par contre, et fait très significatif, au lieu d'un seul café, faisant péniblement ses affaires, il y en a maintenant trois, plus un restaurant et un hôtel, tous fort achalandés.

Madame Avenas, la femme du tailleur et la propriétaire du

[2] Voir chapitre 4, note 16, p. 55.

*Aujourd'hui il y a des parasols multicolores*
*devant les cafés et des touristes aux tables*

salon de beauté du village, a suivi l'exemple de M. Vincent, et, désormais, sous le nom de guerre de «Maman Jeanne», elle dirige avec son mari une pension de famille qui est toujours pleine pendant les vacances.

5     Deux autres cafés, à gauche et à droite, encadrent «Maman Jeanne»; tous les trois ont terrasse et parasols. Et par un beau jour d'été il faut voir tous les estivants assis à la terrasse de ces cafés et suivant de loin les parties de boules de l'autre côté de la rue. Cela fait un spectacle réjouissant qui rappelle un peu
10 les décors artificiels d'un opéra comique.

     Quand les affaires sont calmes, l'atmosphère évidemment se tend un peu. Les trois patrons (tous trois nés à la ville) surveillent étroitement la clientèle de leurs rivaux. Si l'on va trois fois de suite au Café du Castrum sans s'arrêter boire
15 quelque chose chez «Maman Jeanne» ou au Café des Sports, on s'aperçoit vite que les propriétaires de ces deux derniers établissements évitent de vous parler. De toutes façons ils ne se parlent guère entre eux non plus. Car ces citadins, trans-

plantés dans un village qui n'est pas l'Arcadie [3] qu'ils escomptaient, ont des *brouilles* beaucoup plus compliquées et plus fortes que les gens nés au village.

Ces trois cafés servent des repas. Avec le restaurant de grande classe de Vincent, cela fait donc quatre restaurants rivaux. Et les quatre patrons considèrent avec inquiétude les travaux de rénovation entrepris sur la vieille maison Cavalier, construite au XVIIIe siècle par un notaire prospère. Cet immeuble, longtemps inoccupé, est en train de devenir un petit

[3] Région de la Grèce ancienne dont les poètes ont fait le séjour du bonheur pastoral.

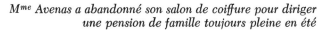

*M^{me} Avenas a abandonné son salon de coiffure pour diriger une pension de famille toujours pleine en été*

hôtel-restaurant de luxe: il aura une salle de bain par chambre et une piscine. M. Picton, l'architecte, compte bien mettre son hôtel dans la catégorie de plusieurs autres hôtels internationalement connus, aux Baux, à Noves, Vaison-la-romaine et 5 Villeneuve-lès-Avignon.[4] Et les notables de Peyrane espèrent bien aussi que ce genre d'établissement augmentera le prestige du village en y attirant des estivants du genre de ceux qui ont déjà transformé les villages voisins de Oppèdes, Gordes, Lourmarin et Murs [4] en stations touristiques tranquilles et de bon 10 goût.

## LE BÂTIMENT

Car en effet le bon goût n'est pas toujours respecté à Peyrane: beaucoup de nouveaux acquéreurs de maisons et de propriétés ont tendance à remplacer la simple et traditionnelle architecture indigène par les constructions «en nougat»,[5] 15 caractéristiques de la Riviera. Et, bien que le village soit classé et qu'il faille, en théorie, une autorisation des Beaux-Arts à Paris pour y modifier quoi que ce soit, les nouveaux venus se passent de l'autorisation et le ministère fait la sourde oreille aux protestations des conservateurs. Ce qui confirme le Con- 20 seil municipal dans sa vieille conviction que de s'adresser aux bureaux de Paris ne sert vraiment jamais à rien.

La nouvelle école en est un bon exemple. Pendant des années les Beaux-Arts ont refusé d'accorder le permis de construire parce qu'ils voulaient que les bâtiments respectent le 25 style local traditionnel, tandis que le ministère de l'Éducation nationale exigeait une construction moderne, bien éclairée et bien aérée. Les deux ministères ont tout de même fini par s'entendre, et Peyrane a aujourd'hui une école neuve. Mais, selon les Peyranais tout au moins, elle fait un peu trop penser

---

[4] Délicieux bourgs et villages de Provence.
[5] The phrase «en nougat» means «with stones imbedded in the plaster of the outside walls as nuts are imbedded in the paste of nougat candy.»

*Les Parisiens transforment les vieilles maisons*
*en logis de villégiature*

à une écurie. Il est vrai que l'entrepreneur n'était pas de Peyrane: c'est d'Avignon qu'on l'a fait venir!

Au village cependant, maçons et entrepreneurs de maçonnerie sont surchargés de travail. Pour le nouvel hôtel, par exemple, il a fallu faire venir des maçons de l'extérieur. C'est 5 qu'ici, aujourd'hui, de même que dans la France entière, tout le monde répare, construit et reconstruit.

Parmi les maçons prospères, Jouvaud a vendu sa petite maison; il s'en est construit une autre, plus grande et plus moderne, à l'entrée du village. Émile Pian, son aide, n'a pas 10 encore remis à neuf sa propre maison (comme il a l'intention de le faire incessamment), mais il se livre à ses deux plaisirs favoris et nouvellement découverts: la télévision et les voyages.

### LE CRÉDIT

Il y a quatre ans un poste relais de télévision a été dressé sur le Lubéron,[6] et ainsi les programmes de Marseille parviennent au village. Immédiatement Émile s'est acheté un poste, ou plutôt il l'a pris chez le marchand et il l'a payé au cours des 5 douze mois suivants. Cette façon de faire, acheter à crédit, lui était nouvelle et, en fait, contraire à toutes ses habitudes. Mais maintenant il est convaincu qu'il a été bien sot auparavant de toujours payer comptant.

— A quoi bon payer comptant? dit-il. Avec les prix qui 10 montent toujours, il vaut bien mieux se procurer ce qu'il faut quand il le faut, et le payer plus tard.

C'est bien ce que pensent aujourd'hui les jeunes de Peyrane. La plupart des trente-cinq postes de télévision de la commune ont été ainsi achetés à crédit. Et la vie de ces 15 Peyranais en est considérablement affectée.

Jadis, Paulin, cultivateur, ne manquait jamais une partie de boules. Je l'ai rencontré un dimanche après-midi qui se dirigeait chez lui au lieu de se rendre au café où un concours était en train de s'organiser.

20 — Oh, je ne joue plus beaucoup, me dit-il. Cela m'arrive encore de regarder une partie, mais pas souvent, parce que ce sont les estivants qui jouent maintenant. J'aime autant rester chez moi et regarder un bon programme.

Je revenais alors de chez Émile Pian, où nous avions pris 25 un déjeuner énorme et délicieux qui avait duré si longtemps qu'Émile attendait impatiemment qu'on servît le café pour ouvrir son poste. Et au lieu de bavarder comme autrefois nous avons suivi sur l'écran un championnat de natation à Paris.

Le même soir je suis passé au café, espérant y trouver 30 Pascal et les Avenas qui y faisaient d'habitude leur partie quotidienne de belote.

— Ils ont la télé, me dit-on. On ne les voit plus souvent ici.

[6] Voir chapitre 1, note 13, p. 7.

La télévision a donc annihilé désormais les rapports déjà difficiles et précaires des Peyranais entre eux. Mais, d'autre part, il n'est pas douteux que ceux qui regardent la télévision au lieu de potiner ou de jouer aux boules, se sentent beaucoup plus proches de tous les autres Français qui suivent en même 5 temps qu'eux un championnat de natation à Paris.

Maintenant qu'Émile Pian a changé d'avis sur les ventes et les achats à crédit, il satisfait un de ses vieux rêves: voyager. A défaut d'une auto qu'il ne s'estime pas encore assez riche pour se payer, il s'est acheté un scooter, et toutes les fois qu'il 10 dispose d'une journée de liberté il part avec sa femme à travers le département. En 1950, nous les avions emmenés en voiture voir la mère et la sœur d'Émile qui demeurent dans une ferme d'une commune voisine. Ils ne s'étaient pas vus depuis des mois. A présent, Émile et sa femme y vont très souvent. 15 D'autre part, Émile aime nager. Il va donc une fois par semaine à Saint Saturnin, à huit kilomètres, où l'État a subventionné la construction d'une piscine publique.

Le jour du grand concours de boules, Émile n'était pas là non plus. Madeleine et lui, sur son scooter, escaladaient le 20 mont Ventoux. En 1958, ils y sont montés deux fois. Avant l'acquisition du scooter, à crédit bien sûr, Émile n'y était allé qu'une seule fois en tout et pour tout.

Les Pian et leurs voisins ont donc au cours des dix dernières années élargi et agrandi considérablement leur horizon. 25

D'autre part, grâce aux transports modernes, l'église n'est pas tout à fait fermée. Monsieur le curé Malaval, mort en 1952, n'a pas été remplacé, mais un prêtre-missionnaire vient chaque dimanche d'un monastère voisin, dans une petite deux-chevaux,[7] dire la messe pour la vingtaine de catholiques prati- 30 quants de la commune.

## LES CULTIVATEURS

Mais pourquoi la population agricole de la commune ne

[7] Petite auto Citroën, deux chevaux-vapeur, «2 horsepower»

voit-elle pas d'un mauvais œil la modernisation du village?
Pourquoi payer des impôts supplémentaires afin d'offrir des
W.C. modernes aux estivants parisiens?

— Mais pas du tout, dit Émile Dounat, un des fermiers les
5 plus prompts d'habitude à désapprouver quoi que ce soit. C'est
le gouvernement qui paie tout ça; ce n'est pas mon affaire.

Il est exact que le gouvernement français, pour encourager
la modernisation du pays, subventionne généreusement les
communes qui entreprennent de moderniser leur équipement.
10 Mais il est bien vrai aussi qu'une certaine portion des impôts
des fermiers — qu'ils le voient ou non — servira à l'installation
de ce tout-à-l'égout.[8]

Peut-être ne protestent-ils pas parce que de leur côté ils
ont obtenu de l'État l'installation gratuite d'un plus fort voltage
15 électrique, «la force», qui leur permet de moderniser leur
propre équipement agricole.

A cet égard leur attitude en dix ans a beaucoup changé.
Autrefois, les fermiers pensaient qu'on ne pouvait utiliser
profitablement les machines agricoles que dans les immenses
20 champs de la Beauce,[9] tandis que les petits terrains de la
commune de Peyrane ne se prêtaient point à une technique
moderne et coûteuse.

Le changement ne s'est pas opéré du jour au lendemain.
En 1948, une petite coopérative agricole s'était formée. Elle
25 s'était rapidement développée. En 1950, toutefois, elle n'avait
que deux employés, dont un à mi-temps, et elle n'utilisait qu'un
seul gros tracteur. Dix ans plus tard, elle dispose de trois
tracteurs, et elle emploie trois ouvriers à temps complet. Les
fermiers ont donc vu que les gros tracteurs de la coopérative
30 étaient *rentables*. Pourquoi ne pas essayer alors individuellement les petits tracteurs, en profitant des grandes facilités de

---

[8] Le département et le gouvernement paient la moitié des frais d'installation du tout-à-l'égout, la commune de Peyrane en paie l'autre
moitié; mais la commune sera éventuellement remboursée par le
département en fin de compte.
[9] Plaine très fertile, entre Paris et Orléans, où la culture du blé se pratique sur une grande échelle.

paiement que le gouvernement accorde par l'intermédiaire du Crédit Agricole? [10]

Le fait capital est que l'attitude de ces cultivateurs envers le crédit n'est plus négative; et ceci prouve immédiatement une certaine confiance dans l'avenir.

Cette confiance se manifeste de diverses manières. En 1950, les cultivateurs, malgré l'avis des conseillers et experts agricoles, refusaient de substituer à la culture du blé celle des arbres fruitiers, mieux adaptée cependant à la nature du sol et au climat du pays.

Eh bien, en 1959, du haut des collines on ne voit partout que des vergers. Même les oliveraies, détruites complètement par les grandes gelées de 1956, sont replantées. Le gouvernement paie évidemment des subsides raisonnables à tous ceux qui replantent. Toutefois, les paysans de 1959 qui plantent des oliviers ont certes plus confiance dans l'avenir que ceux de 1950 qui ne voulaient même pas planter d'abricotiers.

### LES DIFFICULTÉS DE L'AGRICULTURE

Ces dernières observations risqueraient de laisser le lecteur sur un tableau trop optimiste. Tableau que les Peyranais eux-mêmes désapprouveraient. Car les paysans, et surtout les paysans français, ont toujours tendance à se peindre sous des couleurs sombres. Écoutons plutôt ce que dit l'un d'eux.

Tout par hasard Carrette venait au village acheter du tabac quand je l'ai rencontré.

— C'est bien par hasard, en effet, m'a-t-il dit. D'habitude, j'achète toujours mon tabac à Apt, le samedi, en allant au marché; mais la semaine dernière je n'y suis pas allé: trop de travail à la ferme. Et puis, vous savez, j'y viens le moins souvent possible, au village; je n'ai personne à voir ici.

Nous sommes montés dans sa Peugeot de 1929, qu'il a mise en marche à la manivelle.

— Eh oui, c'est toujours la même voiture. Pour aller à

[10] Société bancaire de prêts placée sous le contrôle de l'État.

Apt, c'est tout ce qu'il me faut. Pourquoi en acheter une neuve? Celle-ci fait l'affaire. Mais surtout n'allez pas dire que les Français sont arriérés. Attendez que je vous montre mon nouveau tracteur!

5      En route, pendant les trois ou quatre kilomètres qui séparent sa ferme du village, il s'est mis à me parler de ses trois fils. L'aîné, après deux ans en Algérie, devait revenir à la maison dans la semaine.

     — Je voulais qu'il aille dans une école, mais il prétend 10 qu'il en a assez des gens: il préfère le travail de la terre et les bêtes. J'ai essayé de lui expliquer qu'on vit mieux à la ville. Il ne veut rien savoir. Peut-être qu'il changera d'idée quand il aura entendu le teuf-teuf du tracteur et qu'il en aura respiré les gaz infects pendant toute une journée. Moi, ça m'écœure 15 tellement que j'attends avec impatience le jour où il faudra que je recommence à labourer avec un cheval. Là au moins je n'ai pas l'impression d'être une autre machine!

     — Pourquoi avez-vous acheté un tracteur alors? ai-je demandé.

20      — Il le fallait bien. J'avais trop de travail, et plus personne pour m'aider. Autrefois, j'avais deux hommes. Maintenant, tout ce que je peux trouver — vous allez le voir — c'est un vieil ivrogne, plus bête que les moutons qu'il est censé garder. A la campagne, on ne peut plus trouver de main-d'œuvre.

25      — Vous en aurez quand vos fils reviendront.

     — Les deux plus jeunes ne reviendront pas; j'y veillerai. L'aîné y tient; bon, il prendra la ferme quand je ne serai plus là. Le cadet veut être électricien: je l'ai envoyé dans une école. Le second voudrait revenir ici après son service militaire; mais 30 il n'y a pas de place pour lui; il ira chercher du travail à Berre.[11]

     — Voyons, Carrette, lui ai-je dit. Est-ce que vous avez besoin d'aide, oui ou non? D'abord vous dites qu'il vous faut des machines parce que la main-d'œuvre agricole n'existe plus,

---

[11] Sur l'étang de Berre, dans les Bouches-du-Rhône, communiquant avec la Méditerranée, se trouve un centre important de raffinage du pétrole.

et puis vous dites que votre fils doit aller travailler à Berre
parce qu'il n'y a pas de travail pour lui dans votre ferme.
Qu'est-ce qui est vrai?

— L'un et l'autre. Car d'un côté, le fils ne veut point
travailler comme ouvrier agricole, et d'un autre côté, il n'y a  5
pas de ferme dans le pays qu'il puisse prendre à son compte.
Et de toutes façons je n'ai pas assez d'argent pour lui en
acheter une. Tout ce qu'il pourrait espérer c'est épouser la
fille unique d'un riche propriétaire!

— Pourquoi ne pourrait-il pas travailler comme ouvrier  10
agricole en attendant quelque chose de mieux?

*Les militaires en congé donnent un coup de main à leurs parents*

193

— Bien sûr, c'est possible; mais en attendant, il faudrait qu'il travaille pour quelqu'un d'autre.

— Il travaillera bien pour Shell Oil à Berre.

— Oui, mais il ne sera pas forcé de vivre nuit et jour avec 5 son patron. Travailler dans une ferme qui ne vous appartient pas? Mieux vaut rester dans l'armée.

— Pourtant, si vous avez besoin d'aide, il pourrait travailler pour vous; ça ne serait pas tout à fait la même chose pour lui.

10 — Non, il faut qu'il s'établisse quelque part, à son compte, chez lui. Il n'y a plus de place pour lui ici. Il a déjà perdu assez de temps dans cette stupide affaire d'Algérie.[12]

Nous nous sommes assis, pour déguster un verre de sirop de framboise — par égard pour notre foie — à l'ombre de sa 15 maison, qui fait partie d'un groupe de trois maisons construites jadis auprès d'un puits commun. Celle du milieu est vide depuis des années. Carrette en est propriétaire et l'entretient avec soin.

— C'est pratique, dit-il; ça me sert de grange et de débar- 20 ras; mes fils y invitent leurs amis; et l'été j'y viens faire ma sieste: il y fait frais, et personne ne vient m'y déranger.

— Mais Ruffat habite bien dans l'autre maison?

— Oh oui, mais on ne s'occupe guère l'un de l'autre. On se donne un coup de main de temps en temps, quand il le 25 faut. Mais en général on va chacun de son côté. Et comme ça il n'y a pas d'histoires entre nous.

J'étais vraiment très étonné de constater cette bonne entente entre deux voisins dont les propriétés s'entremêlent d'une façon si insensée. Pour arriver aux vignes de Carrette il nous 30 a fallu traverser la basse-cour de Ruffat, ainsi que plusieurs champs appartenant les uns à Figeard, qui habite un peu plus loin sur la route, et les autres à Ricard, qui demeure à un kilomètre de là de l'autre côté de la route. D'autre part, Carrette possède des terrains près de chez Figeard, près de chez

---

[12] Lutte contre l'insurrection qui a éclaté fin 1954.

Ricard, et un peu partout ailleurs dans la commune.

Devant mon étonnement il s'est mis à rire et il a ajouté:

— Il y a beaucoup mieux encore. Vous voyez la maison de Ricard, là-bas sur la colline. Eh bien, la maison est à lui, bien sûr; mais pas la grange à gauche: la partie centrale, avec le toit de tuiles romaines, est à moi; et Figeard est propriétaire des deux bouts, aux toits de tuiles plates! Et de l'autre côté de la maison, le hangar appartient au frère de Ricard, mais l'appentis est à moi!

— Pourquoi n'échangez-vous pas ces propriétés? ai-je demandé. Vos champs, agrandis, seraient à proximité de votre maison, et vous tireriez mieux parti de votre tracteur.

— En principe, ça a l'air très simple; mais ça ne marche pas comme ça. Croyez-vous, par exemple, que je vais renoncer à ce champ?

Nous étions arrivés à l'endroit qu'il voulait me montrer, un lieu vraiment extraordinaire d'où on avait vue sur tout le bassin d'Apt: la chaine du Lubéron, le village de Saignon, haut et solitaire, la ville d'Apt, la colline de Perreal, où les Romains et les Cimbres se sont livré bataille, les monts de Provence, que par l'imagination on peuple facilement des personnages de Giono.[13]

— Jadis je pouvais contempler tout ça quand je cultivais avec mon cheval, dit Carrette. C'est lui qui me guidait. Maintenant c'est moi qui dois diriger cet idiot de tracteur, les yeux collés sur le sillon à tracer. Voilà le progrès.

Il se faisait tard. Le soleil déclinait à l'horizon, et je devais retourner le plus tôt possible au village. Mais Carrette a tenu à déterrer une ancienne tuile du temps des Romains, dont, disait-il, le champ était plein. Ainsi donc, il y a deux mille ans, un Romain avait bâti là sa maison. Lui aussi aimait voir le soleil se coucher sur le Lubéron.

Ce bref moment passé avec Carrette nous permet de comprendre quelques-uns des problèmes que les agriculteurs de

[13] Romancier contemporain, né à Manosque en 1895, qui situe ses romans dans le Midi.

Peyrane ont à résoudre. A travers toute la France d'ailleurs, les problèmes sont à peu près les mêmes.

Le fait que Carrette n'achète pas de nouvelle auto ne signifie pas qu'il ait horreur de la nouveauté. Il garde la vieille
5 voiture tout simplement parce qu'elle fait encore bien ce qu'il attend d'elle: à savoir qu'elle le transporte au marché une fois par semaine, même s'il lui faut mettre dix minutes de plus qu'avec une voiture neuve pour accomplir le trajet.

Il n'a pas acheté non plus de télévision, tandis que son
10 voisin en a une, pour la seule raison qu'il préfère le calme et la solitude. Par contre il s'est payé un tracteur dès qu'il a compris qu'avec un tracteur il pourrait faire du meilleur travail. Il n'est pas hostile aux machines. Il sait les entretenir, et il les répare presque entièrement lui-même. Mais la nouveauté,
15 et tout ce qui brille, tout ce qui est neuf, n'a pas d'attrait en soi pour lui. Et sans la question de main-d'œuvre, il aimerait beaucoup mieux cultiver avec un cheval, qui est vivant.

Ces difficultés à trouver de la main-d'œuvre, il les partage avec tous les cultivateurs français. Les jeunes ne veulent plus
20 travailler la terre parce qu'ils disent que la vie à la campagne est trop dure et trop astreignante pour ce qu'on peut en tirer. Ils préfèrent travailler un nombre d'heures bien déterminé par semaine, à la ville, y goûter les distractions de la ville, et jouir d'un plus grand confort. Ou bien alors ils veulent travailler
25 leurs propres terres, et ainsi satisfaire leur goût profond d'indépendance.

Voilà pourquoi les fermiers-propriétaires se sont mis à utiliser les machines agricoles. Depuis 1950, le nombre des tracteurs en France a quadruplé. Les moissonneuses sont six
30 fois plus nombreuses. Pour la traite des vaches le nombre des machines a plus que doublé. Le cultivateur fait donc plus de travail et il le fait mieux, mais il se sent moins libre. Le tracteur ne suit pas de lui-même le rang de vignes à cultiver, pendant que Carrette contemple le Lubéron. Carrette peut sulfater
35 ses vignes en beaucoup moins de temps qu'il ne lui en fallait jadis avec l'aide de deux hommes, mais il doit être là en per-

sonne: il ne peut pas confier le travail à son ouvrier et aller au marché à la ville voisine.

## LE REMEMBREMENT

Tout comme la plupart des autres fermiers français, Carrette perd beaucoup de temps et d'énergie à aller d'un de ses champs à un autre. Et donc le gouvernement encourage par 5 tous les moyens un échange à l'amiable des propriétés dispersées: c'est un vaste plan national qui porte le nom de remembrement, et qui ne rencontre guère d'enthousiasme parmi les propriétaires.

Les considérations avancées par Carrette ne sont pas les 10 seuls obstacles à la réussite du remembrement. Car le fait que les terres de Carrette ne forment pas un tout compact a au moins un avantage: il lui permet une grande variété de produits et de cultures: du vin, des moutons, du maïs, du blé, des betteraves fourragères, et des abricotiers. Cette diversité 15 n'est point à dédaigner, elle représente pour lui une sorte d'assurance contre l'imprévu: si une certaine récolte est mauvaise, il peut se rattraper sur une autre. Et si ses vingt hectares étaient d'un seul tenant, il ne jouirait pas d'une pareille variété. 20

Toutefois, du point de vue du rendement général de la terre de France, et afin de moderniser l'agriculture française, ce remembrement est souhaitable en bien des régions. La Beauce, sur le plan agricole, et le Languedoc,[14] sur le plan vinicole, constituent deux exemples heureux de cette industri- 25 alisation des campagnes.

Si le remembrement ne s'opère pas bientôt, et de soi-même, il est probable que l'évolution économique se chargera de résoudre ce problème à la longue. Car les petits cultivateurs, ceux qui ne possèdent que dix à douze hectares, ont de plus en 30 plus de mal à survivre. Ils ne peuvent pas se payer de ma-

---

[14] Ancienne province et région productrice de vins ordinaires: capitale, Toulouse; villes principales: Béziers, Montpellier, Narbonne.

chines, et de toutes façons, ils ne pourraient pas les utiliser efficacement dans leurs champs trop petits et trop dispersés. Et, comme d'autre part, les jeunes renoncent de plus en plus à gagner leur vie dans l'agriculture, il semble bien que tôt
5 ou tard ces champs doivent passer à un petit nombre de grands propriétaires, qui eux pourront se lancer dans la grande culture.

Un problème analogue se pose pour des milliers de petits commerçants et boutiquiers français. A Peyrane, par exemple,
10 il y avait en 1950 cinq épiciers. Depuis lors, deux ont fait de mauvaises affaires, et un seul, aujourd'hui, semble bien marcher.

### CONCLUSION

Voici donc les deux aspects de Peyrane en 1959. D'une part, nous constatons une prospérité récente et des change-
15 ments pour le mieux, et, d'autre part, nous apercevons des êtres humains pris dans les remous de ces changements et encore perplexes et instables.

Le village ne joue plus le rôle qu'il jouait autrefois dans l'économie agricole du pays. Il s'est transformé en une joyeuse
20 colonie d'estivants: ses cafés ont des terrasses, des parasols et des machines en acier inoxydable pour faire le «café express»; et on y installe le tout-à-l'égout.

Pendant ce temps-là, tout autour, les cultivateurs font d'assez bonnes affaires, et ils témoignent d'une certaine con-
25 fiance dans l'avenir, confiance complètement inexistante en 1950–1951. Ils plantent désormais des arbres fruitiers. Ils plantent même des oliviers, bien qu'ils sachent, car cet arbre est lent à croître, que seuls leurs enfants pourront en bénéficier. Avec l'argent qu'ils gagnent actuellement, ils modernisent leur
30 équipement afin d'améliorer le rendement de leur exploitation.

Les vieux de la commune sont morts. La Mélanie est morte à 102 ans. Le vieux Monsieur Maucorps, malade, a été finalement transporté à l'hôpital d'Apt où, privé de son chien et de son vin, il a bientôt perdu goût à la vie. Presque tous

ses amis, les «solitaires», habitués fidèles du café, ne sont plus
là. Les cultivateurs les plus travailleurs et les plus respectés,
Marnas, Pian, Anselme, sont morts également.

Les veuves, aux longs voiles noirs de deuil, ont disparu.
Les jeunes femmes d'aujourd'hui portent des vêtements aux 5
couleurs gaies et claires. Il y a peu de différence entre elles et
les estivantes et les touristes qui fréquentent les terrasses des
nouveaux cafés.

Bref, en 1950, un quart de la population avait plus de
soixante ans. Aujourd'hui, Peyrane donne une vive impression 10
de jeunesse. Ses très nombreux enfants de l'après-guerre fréquentent une école neuve, moderne, bien éclairée et bien
équipée. Voilà le côté heureux des changements survenus ici.

Mais il suffit de jeter un coup d'œil au cadastre, à la
mairie, pour se rendre compte de ce qui ne va pas. L'extrême 15
complexité et entrelacement des propriétés rendent impossible
une exploitation efficace de la terre.

Et avant que le regroupement de ces propriétés follement
dispersées ne se soit effectué, très probablement de soi-même,
beaucoup de petits cultivateurs auront perdu leur indépen- 20
dance. Et il en sera de même des petits boutiquiers, à Peyrane,
et à travers la France entière.

Alors, beaucoup de personnes estiment qu'il en est fini
de la France qu'elles ont connue naguère, et qu'elles aimaient
ainsi. Si les petits cultivateurs et les petits boutiquiers perdent 25
leur indépendance économique, ils perdront en même temps,
disent-elles, ce qui caractérise la culture française traditionnelle: un individualisme profond, et le sens de la dignité
individuelle.

Je ne suis pas suffisamment idéaliste pour nier l'influence 30
des conditions économiques sur la formation de l'idéal que
poursuit l'individu et sur le choix des valeurs profondes auxquelles il s'attache. Mais je crois toutefois que ces valeurs et
cet idéal ne dépendent point du genre de travail que prendra,
par exemple, le second fils de Carrette, à la ferme de son père 35
ou à la raffinerie. L'idéal et les valeurs auxquels il croit dé-

pendent surtout de la formation générale qu'il a reçue à la maison et à l'école, et qu'il a reçue en tout cas bien avant de choisir un métier, une carrière ou une profession.

Peyrane a subi beaucoup de changements en dix ans.
5 Mais bien des choses y ont peu changé: ce sont, par exemple, les rapports entre les divers membres de la famille, la façon d'élever les enfants, les valeurs et les idéaux dont les jeunes se pénètrent lentement et inconsciemment. L'école communale y est neuve, mais l'enseignement qui s'y donne n'a guère
10 changé. Les rapports entre les institutrices et les élèves sont restés les mêmes. Les livres scolaires ont été modernisés, mais les élèves apprennent à penser de la même façon. Valeurs et idéaux représentés dans les livres qu'ils lisent n'ont pas changé. Et, au fond, les Peyranais demeurent ce qu'ils ont toujours
15 été. Vingt siècles de culture et de civilisation leur ont façonné le caractère et le tempérament qu'ils ont et qu'ils garderont encore longtemps.


## QUESTIONS

1. Que voit-on dans les rues de Peyrane en 1959? 2. Quelle main-d'œuvre emploie-t-on pour ces travaux? 3. Pourquoi les enfants sont-ils heureux? 4. Que peut-on voir à l'intérieur des maisons, par les portes ouvertes? 5. Après la dernière guerre, que s'est-il passé dans les villages voisins? 6. Comment les membres du Conseil municipal de Gordes ont-ils manifesté leur appréciation au Parisien qui est venu s'installer chez eux? 7. Combien d'*acres* y a-t-il dans un hectare? 8. Combien vaut l'*acre* de certains terrains?

9. Qu'est-ce que «Maman Jeanne», et quels sont ses propriétaires? 10. Que faut-il faire pour être bien vu des trois propriétaires de cafés?

11. Pourquoi les patrons des trois cafés se parlent-ils peu? 12. Pourquoi les quatre restaurateurs sont-ils inquiets? 13.

Comment les notables du village espèrent-ils voir monter le prestige de Peyrane?

14. Qu'est-ce que c'est qu'un village «classé»? 15. Comment, très souvent, les nouveaux venus font-ils construire ou remettre à neuf? 16. Pourquoi les conseillers municipaux sont-ils convaincus de l'inutilité des bureaux de Paris? 17. Résumez ce qui s'est passé pour la construction de la nouvelle école. 18. Quelle sorte d'école a-t-on fini par construire? 19. Pourquoi les Peyranais trouvent-ils encore à critiquer leur nouvelle école?

20. Quand Émile Pian a-t-il acheté un poste de télévision? 21. Comment l'a-t-il acheté? Comment l'a-t-il payé? 22. Pourquoi n'est-il plus partisan de payer comptant ce dont il a besoin? 23. Pourquoi Paulin, le cultivateur, ne joue-t-il plus aux boules? Que préfère-t-il faire? 24. Qu'est-ce qu'Émile Pian et sa famille ont fait après leur repas? 25. Quelles sont deux des conséquences de la télévision à Peyrane? 26. Quel était le programme à la télévision ce jour-là? 27. Émile et sa femme, où vont-ils avec leur scooter?

28. Comment se fait-il que les fermiers des environs acceptent que la commune dépense de l'argent pour la modernisation d'un village où ils viennent si peu désormais? 29. D'où vient principalement l'argent nécessaire à l'installation du tout-à-l'égout? 30. Expliquez brièvement en quoi consiste un tout-à-l'égout. 31. Expliquez ce que c'est que «la force». A quoi sert-elle? 32. L'attitude des fermiers envers la motorisation agricole a beaucoup changé en dix ans. Expliquez comment et pourquoi. 33. Montrez le rôle joué dans la commune par la Coopérative agricole, et celui joué par le Crédit agricole. 34. Comment les cultivateurs montrent-ils qu'ils ont confiance dans l'avenir? 35. Pourquoi faut-il avoir plus confiance dans l'avenir pour planter des oliviers que pour planter des abricotiers?

36. Qu'est-ce que Carrette venait exceptionnellement chercher au village, et pourquoi? 37. Est-ce qu'il va souvent au village, et quelle raison donne-t-il? 38. Pourquoi a-t-il toujours la même voiture? 39. Pourquoi son fils aîné insiste-t-il pour venir

travailler à la ferme paternelle? 40. Qu'est-ce que Carrette père n'aime pas dans son nouveau tracteur? 41. Quelles sont les raisons qui ont forcé Carrette à acheter un tracteur? 42. Que vont faire ses deux autres fils? 43. Quelles explications Carrette donne-t-il pour ne pas garder son second fils à la ferme? 44. A quoi sert la maison vide de Carrette, située entre celle de Ruffat et celle où il habite? 45. Quels rapports Ruffat et Carrette entretiennent-ils? 46. Expliquez brièvement pourquoi ces rapports entre voisins sont étonnants. 47. Où sont situés les divers champs de Carrette? 48. Quelle définition, sommaire et ironique, Carrette donne-t-il du progrès? 49. Où Carrette conduit-il le narrateur? Pour quelle raison? 50. Qu'est-ce que Carrette et le Romain qui a habité là jadis ont en commun? 51. Qu'est-ce que les jeunes gens pensent du travail de la terre? 52. Quels avantages voient-ils à travailler à la ville? 53. Expliquez simplement en quoi consiste le remembrement. 54. Combien d'*acres* Carrette possède-t-il? 55. Si le remembrement ne se réalise pas bientôt, que se passera-t-il? 56. Résumez brièvement les causes de la prospérité actuelle de Peyrane. 57. Pour quelles raisons, en 1959, le village donne-t-il une impression très nette de jeunesse? 58. De quoi certaines personnes ont-elles peur quand elles constatent que les petits cultivateurs et les petits boutiquiers sont destinés à disparaître bientôt? 59. Ont-elles raison d'avoir peur, et pourquoi? 60. Qu'est-ce qui n'a pas beaucoup changé, en dix ans, au village? 61. Est-ce que ce sont des éléments importants, et pourquoi?

# VOCABULAIRE

Omitted from the vocabulary are the articles, numerals, pronouns, conjunctions; the possessive, interrogative and demonstrative adjectives; the footnoted words; most adverbs; all words of the same meaning spelled alike (disregarding accents) in French and in English; and many simple, basic words that any student of French easily recognizes after a few weeks in the classroom.

## A

**abat-jour** *m.* shade
**abattre** to lay down; knock down; **s'— sur** to come down upon
**abeille** *f.* bee
**abîmer** to spoil
**abord** *m.* access, approach; **d'—** first, at first; **au premier —** to begin with, at first
**aboutir** to succeed, lead, end, come
**abréger** to abridge, shorten
**abri** *m.* shelter
**s'abriter** to find shelter
**abricotier** *m.* apricot tree
**abstrait** abstract
**accabler** to overwhelm, oppress
**accomplir** to achieve
**d'accord** in agreement
**accorder** to grant
**accouchement** *m.* delivery
**accroître** to increase
**accueillir** to welcome
**achalandé** (shop) that does a thriving business
**acharné** strenuous
**achat** *m.* purchase, "buy"
**acheteur** *m.* buyer
**acier** *m.* steel; **— inoxydable** stainless steel
**acquéreur** *m.* buyer

**acquérir** to buy, acquire
**s'acquitter de** to fulfill, carry out, discharge
**acte de naissance** *m.* birth certificate
**actionner** to apply
**actualités** *f. pl.* newsreel
**actuel** present
**actuellement** now, presently
**adjoint** deputy, assistant, associate
**adjuger** to award, give out
**admettre** to admit, accept
**adoptif** adoptive, adopted
**aéré** ventilated
**affaiblir** to weaken; **s'—** to diminish, weaken
**faire l'affaire** to do, be suitable
**affaires** *f. pl.* business
**affiche** *f.* poster
**afficher** to post; to show, proclaim
**affluent** *m.* tributary
**affronter** to face, confront
**à l'affût** in wait, on the watch, stalking
**âgé** old
**agir** to act; **s'— de** to be a question of, concern, deal with
**agissements** *m. pl.* doings, dealings, activities
**s'agiter** to get excited
**agrandir** to enlarge, widen, broaden
**agréable** pleasant

**agrémenter** to embellish, adorn
**agricole** agricultural
**aide** f. help, assistance
**aïeux** m. pl. ancestors, grandparents
**ailleurs** elsewhere; **d'—** besides
**aimable** kind, gentle
**aîné** m. elder, oldest one
**air: avoir l'—** to seem, look
**à l'aise** comfortable, at ease; at home
**ajouter** to add
**aliment** m. food
**alimentaire: régime — m.** eating habits, diet
**alimenter** to feed
**allaitement** m. nursing, suckling
**allée** f. path, driveway
**Allemagne** f. Germany
**allemand** German
**aller: en — de même** to be the same; **— trop loin** to exaggerate
**allocation** f. allowance, benefit
**allouer** to allocate, award
**allumer** to light, start a fire; to turn on the light
**allumette** f. match
**allure** f. behavior; gait
**alors** then, next; consequently
**amande** f. almond
**amasser** to pile up, heap
**ambulant** itinerant
**améliorer** to improve
**aménagement** m. fitting out, equipping; **—s** facilities
**amener** to bring
**amer** bitter
**amertume** f. bitterness
**à l'amiable** amicably
**amical** friendly
**amoureux** m. sweetheart, lover
**ampoule** f. bulb, light
**analogue** similar
**anchois** m. anchovy
**ancien** antique
**anciens** m. pl. old people
**angora** Angora cloth, mohair
**animateur** m. leader, inspirer
**anneau** m. ring
**annihiler** to suppress, annihilate
**annonce** f. notice
**anonymat** m. anonymity
**apéritif** m. alcoholic drink before meal
**apparaître** to appear, come out
**appareil** m. set

**appartenir** to belong
**appelant** m. decoy, call-bird
**appentis** m. lean-to
**applaudissement** m. applause
**apporter** to bring
**apposer** to affix
**apprendre** to learn; **— par cœur** to memorize
**apprenti** m. apprentice
**d'après** according to, from
**s'approcher** to come close
**s'approvisionner** to get one's supplies
**aptésien** from the city of Apt
**arable** tillable (land)
**arachide** f. peanut
**argent** m. money
**arôme** m. aroma, flavor
**arracher** to pull
**s'arranger** to manage
**arrêter** to stop; set; **s'—** to halt, stop
**arrière-boutique** f. back-shop
**arriéré** backward
**arriver** to arrive, reach; to happen, occur; to manage, succeed
**artichaut** m. artichoke
**artisan** m. craftsman
**as** m. ace
**asperge** f. asparagus
**aspirant** m. candidate
**s'assagir** to sober down, become wiser, settle down
**s'asseoir** to sit down
**assez** pretty, rather; enough
**assiette** f. plate
**assister** to attend, watch
**assourdissant** deafening
**assurance** f. insurance
**astreignant** exacting, compelling, tying down
**atout** m. trump
**âtre** m. hearth
**atteindre** to reach
**atteint** stricken
**attendre** to wait for; **s'— à** to expect
**attente** f. waiting, expectation
**atténuer** to diminish, lessen, reduce
**attirer** to attract
**attrister** to sadden
**auberge** f. inn
**aubergiste** m. and f. innkeeper
**aucun** no; none
**auparavant** before, previously
**aussitôt que** as soon as

**autant** as much, as many; **d'—**
**plus** all the more
**autel** m. altar
**autour** around, in the vicinity
**autrefois** formerly
**autrui** others, other people
**d'avance** in advance
**avare** avaricious, stingy
**avenir** m. future
**avis** m. advice
**avocat** m. lawyer
**avouer** to confess, admit, acknowledge

## B

**baigner** to bathe, bask
**baignoire** f. bathtub
**bain** m. bath
**bal** m. dance
**balayer** to sweep
**balançoire** f. swing
**balayeur** m. sweeper
**ban** m. marriage banns
**banc** m. bench
**bande** f. gang, group
**baptême** m. baptism
**bas** low; **en —** downstairs; below, down there
**base: de —** basic
**basse-cour** f. barnyard
**bassin** m. region, basin
**bataille** f. battle, fight
**bâtiment** m. building; building industry
**bâtir** to build
**se battre** to fight, struggle
**bavard** talkative
**bavardage** m. chatter
**bavarder** to talk, chatter
**beau-père** m. father-in-law
**bec-fin** m. warbler
**Belgique** f. Belgium
**belle-mère** f. mother-in-law
**belote** f. game of cards
**bénédiction** f. blessing
**bénéfice** m. profit
**bénévolement** voluntarily, out of kindness
**bénir** to bless
**berceau** m. cradle
**bercer** to rock, lull
**berger** m. shepherd
**besogne** f. chore, task
**bête** f. animal; (*adj.*) silly, stupid
**beurre** m. butter
**beuverie** f. drinking party

**biberon** m. feeding bottle
**bien** m. well-being; property; **—**
**être** m. well-being; **— portant**
in good health
**bienfaisant** beneficial, salutary
**bizarrerie** f. peculiarity, oddity
**blé** m. wheat
**blesser** to hurt, wound
**bleuir** to turn blue; to make blue
**bobine** f. reel
**boire** to drink; **— sec** to drink hard
**bois** m. wood, forest; **— de chauffage** firewood
**boîte** f. box
**bol** m. bowl
**bombardement** m. bombing
**bonbon** m. candy
**bonbonne** f. jug; tank
**bord** m. edge
**bordé** lined
**borgne** one-eyed
**botte** f. bundle, bunch
**boucher** m. butcher
**bouchon** m. target ball in "boules"
**bouger** to move, budge
**bouilloire** f. kettle, hotwater tank
**boulanger** m. baker
**boule** f. ball for bowling
**boules-pétanques, boules à la longue** variations of French game of "boules"
**bouleverser** to upset
**bourg** m. market town
**bourse** f. purse, pocketbook
**bout** m. small piece; end; **au — de** at the end of, after
**bouteille** f. bottle
**boutique** f. shop; **arrière —** backshop
**boutiquier** m. shopkeeper
**boutonnière** f. buttonhole
**bras** m. arm
**brave type** m. good fellow
**bref** briefly; brief; in short
**Bretagne** f. Brittany
**bricole** f. odd job
**brièvement** briefly
**brillamment** brilliantly
**briller** to shine
**briquet** m. lighter
**briquette** f. small brick
**brouillard** m. mist, fog
**brouille** f. quarrel, estrangement
**brouillé** on bad terms
**brouiller** to put on bad terms

bruit *m.* noise
bureau *m.* office, study
brûler to burn
brusque brisk, sharp (curve)
brut gross
brutalement violently; suddenly
bruyant noisy
buffet *m.* dresser, sideboard
bulletin de vote *m.* ballot
bureau *m.* offices, study
but *m.* aim, goal

### C

cabinet *m.* office; — de toilette dressing room, wash room
cabinets *m. pl.* toilet
cache-nez *m.* scarf
cacher to hide, conceal; ne pas s'en — to make no secret of it
cachette *f.* hiding place
cadastre *m.* plan of a commune, plat
cadeau *m.* gift
cadet *m.* younger brother
cadre *m.* frame, setting
çà et là here and there
cafetier *m.* café owner
cagnote *f.* pool, "kitty"
caisse *f.* box; cashier's desk; treasury, bank
calendrier *m.* calendar
camion *m.* truck
cantine *f.* cafeteria, small restaurant
car *m.* inter-city bus
caravelle *f.* carvel, caravel
Carême *m.* Lent
carré· square
carreaux *m. pl.* diamonds; as de — ace of diamonds
carrelage *m.* tiling, pavement
carrière *f.* quarry; career
carrosserie *f.* body (of car)
cartable *m.* school bag
carte postale *f.* postcard
carton *m.* cardboard
cas *m.* case
casquette *f.* cap
caverne *f.* cave
célibataire *m. or f.* bachelor, single person
cendres *f. pl.* ashes, cinders
censé supposed to
centaine *f.* about one hundred
cercueil *m.* coffin

cerise *f.* cherry
cerisier *m.* ⁄cherry tree
cesser to stop, cease
chaleur *f.* heat; enthusiasm
chahut *m.* rowdyism
chambre: — à coucher *f.* bedroom
champ *m.* field
champignon *m.* mushroom
champignonnière *f.* mushroom bed
championnat *m.* championship
chance *f.* luck
chandail *m.* sweater
chandeleur *f.* Candlemas
chantier *m.* work-yard, working area
charbon *m.* coal
charge *f.* load
chargé in charge
charger to load; se — de to take responsibility for
charnière *f.* hinge
charpentier *m.* carpenter
charrette *f.* carriage; — à bras pushcart
chasse *f.* hunting
chasser to hunt; chase
chasseur *m.* hunter
châtaigne *f.* chestnut
chatouiller to tickle
chaudière *f.* boiler
chaudronnier tinker
chauffage *m.* heating
chauffe-eau *m.* water heater
chaussette *f.* sock
chaussure *f.* shoe
chef de famille *m.* head of family
chef-lieu *m.* seat of administration (in each "département")
chemin *m.* small road, way; — de fer railway
cheminée *f.* fireplace; chimney
chêne *m.* oak
cherté *f.* expensiveness
chèvre *f.* goat
chien *m.* dog
chiffre *m.* figure
chimique chemical
chirurgical surgical
chœur *m.* chorus, choir
chômage *m.* unemployment
chou *m.* cabbage; —-fleur *m.* cauliflower
ciel *m.* sky
cierge *m.* wax candle, taper
cimetière *m.* cemetery
cinéma *m.* movie house
cire *f.* wax

**206**

cirée   waxed; toile — f.   oilcloth
cirque   m.   circus
citadin   m.   city dweller, city born
citer   to quote
citoyen   m.   citizen
civil   m.   civilian
civisme   m.   civics
clairon   m.   bugle
clandestinement   secretly
classement   m.   classification
classer   to classify
cloche   f.   bell
cloisonnement   m.   partitioning
clou   m.   nail; (fam.)   principal attraction
cochon   m.   pig
Code civil   m.   common law
cœur   m.   heart; de tout — wholeheartedly; valet de — jack of hearts
coin   m.   corner; small piece (of land); patch, spot
colère   f.   anger
collectionner   to collect
coller   to glue, stick, post
colline   f.   hill
colorant   m.   dye
colorer   to color, give color
colorié   colored, colorful
commander   to order
comme il faut   properly
commérage   m.   gossip
commerçant   m.   business man
commission   f.   message; errand
commuer   to commute (penalty)
complet   m.   suit; (adj.)   full; au — complete, all of them
compliqué   complicated, intricate
compote   f.   stewed fruit
compris   included
comptant: payer — to pay cash
compte: à son compte   on one's own; tenir — de   to include, take into account
compter   to count, number; to expect
compteur   m.   meter
comptoir   m.   counter, bar
concession à perpétuité   f.   grant (of a grave) in perpetuity
concitoyen   m.   fellow citizen
concours   m.   competition, contest
condamné   unused (building, door)
conduire   to drive; se — to behave
confection   f.   making (of a dress)

confiance   f.   confidence; faire — to trust
confier   to entrust
confit   candied, preserved
confiture   f.   jam
se confondre   to mingle, mix
congé   m.   leave, permission, vacation; prendre — to take leave
connaissance   f.   acquaintance; knowledge
consacrer   to devote
conscient   conscious
conscrit   m.   conscript, new recruit
conseiller   m.   adviser
consentement   m.   consent
conservateur   m.   conservative
considérer: — de haut   to look down upon
consommation   f.   drink; consumption
consommer   to drink
constamment   constantly
constater   to note; to state
construire   to build
conte   m.   short story
se contenter   to be satisfied
contraindre   to force
convaincre   to convince
convenable   proper, decent, reasonable
convenir   to agree
copain   m.   pal, chum
corbillard   m.   hearse
corde   f.   rope
cordonnier   m.   cobbler
corps   m.   body
cortège   m.   procession
côté   m.   side; part; à — near by; d'un — on one hand; d'un autre — on the other hand
cou   m.   neck
couche   f.   diaper; coat, layer (of paint)
coude   m.   elbow
coudre   to sew
coup   m.   blow; — sur — in close succession; donner un — de main to help; faire les quatre cents —s to raise the devil
coupable   m. and f.   guilty one, culprit
couper   to cut, separate, divide
cour   f.   yard; basse — barnyard
courant   frequent, common (theme); au — in the know, aware, informed

courir  to run
courrier  m.  mail
course  f.  race; errand; — cycliste
  bicycle race; faire des —s to go
  shopping
courtois  polite, courteous
coût  m.  cost
coûter  to cost
coutume  f.  custom, habit
couture  f.  sewing
couturière  f.  seamstress
couvert: mettre le —  to set the
  table
craindre  to fear, be afraid
crainte  f.  fear
craquer  to burst
creuser  to dig
cri  m.  shout
crier  to shout
crise  f.  crisis
critique  f.  criticism
critiquer  to criticize
croire  to believe
croître  to grow
croyance  f.  belief
cueillette  f.  picking, gathering
cueillir  to pick, gather, collect
cuisine  f.  kitchen; cooking
cuisinier  m.  cook, chef
cuisinière  f.  cooking range
culminant: point — m.  height,
  climax
culottes  f. pl.  (short) pants
cultivateur  m.  farmer, peasant
cultiver  to till, cultivate
curé  m.  pastor, vicar, priest
cuve  f.  vat
cyprès  m.  cypress tree

## D

danseur  m.  dancer
davantage  more
débarras  m.  storeroom
debout  standing, up
débrouillardise  f.  resourcefulness
début  m.  beginning
déceler  to disclose, reveal, divulge
décemment  properly, reasonably
  well
décès  m.  death
décevoir  to deceive, disillusion
déchirer  to tear
déchaîner  to loosen
décimer  to decimate
décliner  to go down

décor  m.  stage setting
découler  to follow, be derived
découper  to cut up
découverte  f.  discovery
découvrir  to discover
dédain  m.  scorn, disdain
dédier  to dedicate, consecrate
à défaut de  for lack of
défavorable  unfavorable
défilé  m.  parade
définir  to define, explain
défraîchi  faded
défunt  m.  deceased one
dégager  to relieve, be relieved of
dégoût  m.  disgust, loathing
déguster  to taste, sip
dehors  outside; en —, au —  outside
délabré  dilapidated
délaisser  to relinquish
démailloter  to unbind
se demander  to wonder
démissionner  to resign
denrée  f.  food product, commodity
dépasser  to pass, go beyond
dépendre  to depend
dépenser  to spend
dépister  to track down, unearth
se déplacer  to move, go
déposer  to place
dépouiller  to strip, deprive
dépourvu  deprived
déranger  to disturb, bother
se dérouler  to unfold
dès  from, since, as early as; — que
  as soon as
désaccord  m.  disagreement
désaffecté  deconsecrated, secular-
  ized
se désagréger  to disintegrate
désespoir  despair
désormais  from now on, henceforth
desséché  dried up, dry
desservir  to clear (the table)
dessin  m.  design, pattern, drawing
dessiner  to draw, design
destin  m.  fate
se détendre  to relax
déterrer  to unearth
détour  m.  bend, turn; deviation
se détourner de  to avoid, bypass,
  stay away from
détricoter  to unknit, ravel
détritus  m.  rubbish
détruire  to destroy
devanture  f.  window (of a shop)

devenir  to become

devoir  *m.*  written school home work; duty

différend  *m.*  difference, dispute, disagreement

diffuser  to broadcast

digne  worthy

diligence  *f.*  stagecoach

directrice  *f.*  head mistress

diriger  to conduct, direct, head; se — to go, head

discours  *m.*  speech

discuter de  to discuss

disparaître  to disappear, vanish

dispersé  scattered

disponible  available

dissemblable  different

disséquer  to dissect

dissimuler  to conceal, hide

se distraire  to relax, amuse oneself, get "a break"

doigt  *m.*  finger

domaine  *m.*  field, realm

domicile  *m.*  residence

donc  then, consequently, so

dos  *m.*  back

doucement  gently; slowly; sweetly

douche  *f.*  shower

doué  gifted

doyen(ne)  *m. and f.*  senior member

dragée  *f.*  sugar-covered almond

drap de lit  *m.*  bed sheet

dressage  *m.*  training

dresser  to erect; to set up; to train

droit  *m.*  right; (*adj.*) straight

dur  hard, tough, difficult

durant: la vie —  during one's lifetime, while alive

durer  to last

### E

eau  *f.*  water; — de vie  *f.*  brandy

écart  *m.*  deviation; swerving; wrongdoing

écervelé  scatterbrained

échapper  to escape

échec  *m.*  failure

échelle  *f.*  scale; ladder

échouer  to fail, flunk

éclairé  lighted

éclatant  bright

éclater  to burst, blow up

écœurer  to disgust, discourage

économe  thrifty

économies  *f. pl.*  savings

économiser  to save

s'écouler  to run, flow, pass

écran  *m.*  screen

écraser  to crush

écriture  *f.*  handwriting

écrivain  *m.*  writer

s'écrouler  to crumble

écume  *f.*  foam

écurie  *f.*  stable

effacé  retiring, unobtrusive

en effet  indeed

efficace  efficient

s'efforcer  to try, endeavor

également  equally

égard  *m.*  viewpoint; consideration; par — out of consideration

église  *f.*  church

élargir  to widen

élevage  *m.*  raising

élevé  high; raised; mal — badly brought up; bien — well behaved

élire  to elect

éloigné  distant

emballage  *m.*  wrapping

embrasser  to kiss

emmailloter  to swaddle

emmener  to take along

empaquetage  *m.*  packing

empêcher  to prevent

emplacement  *m.*  place, spot

emplir  to fill

empocher  to pocket

emprunter  to borrow

ému  moved

encadrer  to frame; to stand on both sides of

enceinte  pregnant

encombré  crowded

encre  *f.*  ink

s'endetter  to get into debt

s'endormir  to fall asleep

endroit  *m.*  place

endurcissement  *m.*  hardening

enfance  *f.*  childhood; tomber en — to sink into second childhood

enfantillage  *m.*  childishness

enfantin  childish; for young children

engrais  *m.*  fertilizer

enlèvement  *m.*  pick up

enlever  to take off

ennui  *m.*  trouble; boredom

ennuyer  to bother

ennuyeux  bothersome, unpleasant

enregistrer  to record

**enseignement** *m.* education, teaching

**enseigner** to teach

**s'entendre** to agree, get along

**entente** *f.* understanding

**enterrement** *m.* burial

**enterrer** to bury

**entêtement** *m.* stubbornness

**entonner** to begin to sing

**entourer** to surround

**entr'acte** *m.* intermission

**entr'aide** *f.* mutual assistance

**entraînement** *m.* training, preparation

**entrée** *f.* entrance, admission; first dish, between hors d'œuvre and main dish

**entrelacement** *m.* intertwining, network

**s'entremêler** to mix, mingle

**entreprendre** to undertake

**entrepreneur** *m.* contractor; — **de maçonnerie** building contractor

**entretenir** to keep up; to support

**entretien** *m.* conversation; upkeep

**s'envenimer** to grow acrimonious

**envie: avoir —** to feel like

**envier** to envy

**épais** thick

**épice** *f.* spice

**épicerie** *f.* grocery store

**épicier** *m.* grocer

**épinard** *m.* spinach

**épineux** thorny, delicate, ticklish

**Epiphanie** *f.* Epiphany, Twelfth Night

**épouser** to marry

**époux** *m.* spouse

**épreuve** *f.* test

**éprouver** to feel

**épuiser** to exhaust

**équilibré** balanced

**équipe** *f.* team

**équipée** *f.* escapade

**escalader** to climb

**escompter** to count on

**espadrille** *f.* canvas shoe (with sole of rope)

**Espagne** *f.* Spain

**esprit** *m.* mind

**essayer** to try, attempt

**essence** *f.* gasoline; — **de lavande;** *f.* lavender oil

**est** *m.* east

**estimer** to think

**estivant** *m.* summer vacationist

**s'établir** to settle

**étage** *m.* floor, story

**étalage** *m.* display, show

**s'étaler** to spread

**étang** *m.* pond

**étape** *f.* stage

**état** *m.* state; — **civil** *m.* vital statistics

**État** *m.* national government

**éteindre** to extinguish, put out

**étendre** to stretch, extend

**éternuer** to sneeze

**étonnamment** surprisingly

**étouffer** to stifle, choke

**étranger** *m.* stranger, foreigner

**étrangeté** *f.* strangeness

**étrave** *f.* stem, sternpost

**être** *m.* being

**étroit** narrow

**étroitement** closely, narrowly

**événement** *m.* event

**éventaire** *m.* display

**évier** *m.* sink

**éviter** to avoid

**examinateur** *m.* examiner

**exécuter** to execute, make, carry out

**exercer** exercise, perform

**exiger** to demand

**expédier** to send

**explication** *f.* explanation

**exprimer** to express

**extraire** to extract

**extrait** *m.* excerpt; copy

## F

**fabrication** *f.* making, manufacturing

**fâché** angry, mad

**façon de vivre** *f.* way of life

**facteur** *m.* postman

**fade** tasteless, insipid

**faible** weak

**faiblesse** *f.* weakness

**faillite** *f.* bankruptcy

**faim: avoir —** to be hungry

**faire** to make, do, cause; **se — à** to get used to; — **la queue** to stand in line; — **l'affaire** to do the trick; — **les quatre cents coups** to raise the devil; — **partie** to be part, belong; — **venir** to send for

**fait** *m.* fact; **en —** in fact

**falaise** *f.* cliff

**faute** *f.* mistake; — **de** for lack of; **se faire — de** to fail

210

**faux** wrong, inaccurate, false
**fauvette** *f.* warbler
**favoriser** to favor, help
**féculent** *m.* starchy food
**féliciter** to congratulate
**femme** *f.* woman; wife; — **d'intérieur** *f.* housewife; — **de ménage** *f.* cleaning woman
**fer** *m.* iron
**ferme** *f.* farm; (*adj.*) firm; **la —!** shut up!
**fermier** *m.* farmer
**Fête-Dieu** *f.* Corpus Christi
**feu** *m.* fire; — **d'artifice** *m.* fireworks
**feuille** *f.* leaf
**fève** *f.* bean, Lima bean
**fiançailles** *f. pl.* engagement
**se fiancer** to get engaged
**ficelle** *f.* string, rope
**fictif** fictitious
**fidèle** faithful
**fier** proud
**fierté** *f.* pride
**figé** set
**figurer** to appear
**filet** *m.* net
**fin** *f.* end; **mettre — à** to put an end to, stop
**financier** financial
**Fisc** *m.* Government Tax Bureau
**fixe** stable, regular
**fixer** to affix, put, place, set, determine; **se —** to settle down
**fléau** *m.* plague
**foi** *f.* faith
**foie** *m.* liver
**foire** *f.* fair; market; **champ de —** fair grounds
**fois** *f.* time; **à la —** at the same time
**follement** crazily
**foncièrement** fundamentally
**fonctionnaire** *m. and f.* civil servant
**fond** *m.* bottom; **au —** really, actually
**fondement** *m.* foundation
**se fonder** to rely on
**forain:** **spectacle —** *m.* traveling show
**force** *f.* a three-wire electric connection, power
**forgeron** *m.* blacksmith
**fort** strong; (*adv.*) very; **au plus —** in the very midst
**fosse** *f.* grave; pit

**fossoyeur** *m.* grave digger
**fou** mad, crazy
**foulard** *m.* scarf
**foule** *f.* crowd
**fournir** to provide, furnish
**fourragère: betterave —** beets for cattle feed
**foyer** *m.* hearth; home
**frais** fresh; cool
**frais** *m. pl.* expenses, cost; **faire des —** to spend a good amount of money; **faire les — de** to bear the cost of, be the victim of
**fraise** *f.* strawberry
**framboise** *f.* raspberry
**franchement** frankly
**frange** *f.* fringe
**frapper** to strike; — **du pied** to stamp one's foot
**frein** *m.* brake
**frémir** to shudder
**fromage** *m.* cheese
**au fur et à mesure que** gradually as
**furet** *m.* ferret
**fusil** *m.* gun

## G

**gagner** to earn; to gain; to win
**galant** *m.* sweetheart, lover
**garance** *f.* madder (dye)
**garçon: dîner de —** bachelors' dinner
**garde-champêtre** *m.* rural policeman, game warden
**gare** *f.* railroad station
**garer** to park
**gaspiller** to waste
**gâteau** *m.* cake, pastry
**gâté** spoiled
**gelée** *f.* frost
**geler** to freeze
**gênant** embarrassing
**gêne** *f.* embarrassment
**gêner** to hinder, inconvenience, embarrass
**genou** *m.* knee
**genre** *m.* kind, sort
**gens** *m. and f. pl.* people, persons; **jeunes —** young men, young people
**gentillesse** *f.* kindness
**gentiment** nicely
**geste** *m.* gesture, act
**gibier** *m.* game

glacial icy, chilly, frigid
se glisser to infiltrate; to slip under
gosse m. and f. kid, child
goudronné covered with tar
goûter to taste; (m.) snack
goutte f. drop
grâce à thanks to
grande personne f. adult
Grande Bretagne f. Great Britain
grandir to grow
grange f. barn
gratuit free
gravier m. gravel
gravure f. picture, engraving
gré m. wish, will, liking
grec, grecque Greek
grêle f. hail
grêler to hail
grief m. grievance
grimper to climb, go up
grive f. thrush
grommeler to grumble
gros: en — approximately
grossesse f. pregnancy
grossier rude
grouiller to swarm
guérir to cure; to be cured
guerre f. war
en guise de by way of, instead of, as

**H**

habit m. suit, clothes; evening dress
habitant m. inhabitant
habiter to dwell, inhabit, live
d'habitude usually
habituer to accustom
haie f. hedge
hardiesse f. boldness
haricot m. bean; — vert m. string bean
hâtivement hastily
haut m. top; en — on top, up
hautain haughty
haut-parleur m. loudspeaker
hebdomadaire weekly
hectare m. approximately 2½ acres
herbe f. grass; herb; mauvaise — f. weed
hériter to inherit
héritier m. heir
histoire f. history; story; avoir une — avec to have trouble with (someone)

honoré honored
honte f. shame
horaire m. schedule, timetable
hors de outside
hospice m. institution, hospital
hospitalier hospitable
huile f. oil

**I**

idiot m. fool; (adj.) idiotic
illumination f. flood lighting
immeuble m. apartment house, building
impériale f. top of stagecoach
impliquer to implicate, mean
importer to be important, matter; n'importe quel any; peu importe it does not matter much
en imposer to impose, inspire respect
impôt m. tax
imprévisible unpredictable, unforeseeable
imprévoyant improvident
imprévu unforeseen
inassouvi unsatisfied
incarner to embody, incarnate
incessamment unceasingly; immediately
incliner to bend, lean, bow; s'— to accept; bend
incroyablement unbelievably
indigène native, local
indigent m. pauper; (adj.) poor, needy
indigné outraged, indignant
inégalité f. difference, inequality
inéluctablement unavoidably
inexprimé unexpressed
infirme crippled, invalid
infliger to inflict
inhabité uninhabited, empty
inhumer to bury
injure f. insult
injurier to insult
innombrable numberless
inoxydable rustproof, stainless
inquiéter to disturb; s'— to worry
inscription f. registration
inscrire to register
insensé unreasonable, senseless
insouciant carefree
s'installer to settle; to open shop, one's own business
instituteur m. teacher

**institutrice** *f.*  teacher
**insupportable**  unbearable
**intégrant: faire partie —e**  to be part and parcel
**interdire**  to forbid
**s'intéresser**  to be interested
**à l'intérieur**  inside
**intestin**  domestic, intestine, internal
**intrinsèque**  intrinsic; specific
**intransigeant**  uncompromising
**intrigant**  scheming, intriguing
**inusable**  everlasting
**invité** *m.*  guest
**isolement** *m.*  isolation; loneliness
**ivrogne** *m.*  drunkard
**ivrognerie** *f.*  drunkenness

## J

**jadis**  formerly
**jaillir**  to surge
**jambe** *f.*  leg
**jardin** *m.*  garden; — **d'enfants**  kindergarten
**jarretière** *f.*  garter
**jaune**  yellow
**jeter**  to throw
**jeu** *m.*  game, play; set, hand (of cards)
**jeunesse** *f.*  youth
**joindre: — les deux bouts**  to make both ends meet; **se — à**  to join
**jouer**  to play
**jouet** *m.*  toy
**joueur** *m.*  player
**jouir**  to enjoy
**jour: au — le —**  day by day
**journal** *m.*  newspaper; — **parlé** *m.* news bulletin (over radio)
**juron** *m.*  oath, profanity
**jus** *m.*  juice
**juste**  precise; tight

## K

**kilo, kilogramme** *m.*  approximately two pounds
**kilomètre** *m.*  kilometer (⅝ of mile)

## L

**labourer**  to plow
**là-dessus**  thereupon; about it
**là-haut**  up there
**laid**  ugly
**laine** *f.*  wool

**laisser**  to leave, let; — **tranquille**  to leave alone; — **tomber**  to drop
**lait** *m.*  milk
**laiteux**  milky
**laitue** *f.*  lettuce
**lancer**  to throw
**langes** *f. pl.*  swaddling clothes
**lapin** *m.*  rabbit
**larcin** *m.*  petty theft
**largeur** *f.*  width
**se lasser**  to get tired
**lauréat** *m.*  prize-winner
**lavable**  washable
**lavande** *f.*  lavender
**laver**  to wash
**layette** *f.*  set of baby garments
**leçon de choses** *f.*  object lesson
**lecteur** *m.*  reader
**lecture** *f.*  reading
**légèrement**  slightly
**léguer**  to bequeath
**légume** *m.*  vegetable
**lendemain** *m.*  next day, morrow; **du jour au —**  overnight
**léser**  to wrong, injure
**lessive** *f.*  laundry
**levée** *f.*  trick (cards)
**lever: — du soleil** *m.*  sunrise
**lézardé**  cracked
**libre**  free
**lier**  to bind, unite
**lieu** *m.*  place; **avoir —**  to take place; — **de rencontre**  meeting place; **—x** *m. pl.*  premises
**lièvre** *m.*  hare
**lire**  to read
**lit** *m.*  bed
**litre** *m.*  approximately one quart
**livre** *f.*  pound
**livrer**  deliver; **se — à**  to indulge in; — **bataille**  to fight
**livret** *m.*  booklet
**localité** *f.*  place
**locataire** *m. and f.*  tenant
**logement** *m.*  housing, lodging
**logis** m.  house, home
**loi** *f.*  law
**loisir** *m.*  leisure; **à —**  leisurely
**le long de**  along
**à la longue**  in the long run, with time
**longuement**  at length
**lopin** *m.*  piece (of land)
**louer**  to rent, hire, let
**loyer** *m.*  rent

**lumière** *f.* light
**lutter** to fight, struggle

# M

**machine à coudre** *f.* sewing machine
**maçon** *m.* mason, bricklayer
**maçonnerie** *f.* masonry
**maigre** lean, thin
**main-d'œuvre** *f.* labor
**maire** *m.* mayor
**mairie** *f.* town hall
**majeur** of age
**mal** *m.* pain, trouble, difficulty; ill; evil; — à l'aise ill at ease; — vu ill considered
**malade** sick
**malaise** *m.* discomfort, indisposition
**malentendu** *m.* misunderstanding
**malgré** in spite of
**malheureusement** unfortunately
**malhonnêteté** *f.* dishonesty
**manège** *m.* merry-go-round
**manger** to eat
**manière** *f.* manner
**manivelle** *f.* crank
**manœuvre** *m.* unskilled laborer
**manque** *m.* lack
**manquer** to lack, be missing, miss
**manteau** *m.* coat, wrap, cloak; — de la cheminée *m.* mantelpiece
**maquis** *m.* underground resistance
**maraîcher** *m.* truck gardener
**marche** *f.* walk; functioning; — à suivre *f.* procedure; **mettre en** — to start
**marché** *m.* market, market place; **par dessus le** — in addition
**marcher** to walk; to function; **faire** — to run
**Mardi Gras** *m.* Shrove Tuesday
**maréchal ferrant** *m.* blacksmith
**mari** *m.* husband
**marine** *f.* navy
**marraine** *f.* godmother
**matière** *f.* subject matter; **en** — de concerning, with regard to
**maudire** to curse
**mécanicien** *m.* mechanic
**mécano** *m.* mechanic
**médecin** *m.* doctor
**méfiance** *f.* distrust
**mélancolique** melancholy
**mélanger** to mix

**mêler** to mingle; **se** — des affaires des autres to interfere with other peoples' business
**même** same; even; **de** — in the same way; **de** — **que** as
**ménage** *m.* household; couple; housecleaning
**ménager** to spare; ( *adj.* ) pertaining to house, home
**ménagère** *f.* housewife; cleaning woman
**mener** to lead
**menthe** *f.* mint
**menteur** *m.* liar
**mentir** to lie
**menton** *m.* chin
**menuisier** *m.* cabinetmaker
**mépriser** to scorn
**mer** *f.* sea
**mésange** *f.* titmouse (small bird)
**messe** *f.* mass; — **chantée** high mass
**mesure: être en** — to be able, ready
**métier** *m.* trade, job
**métrage: court** — *m.* short (film); **long** — feature film
**mètre** *m.* meter, yard
**mettre** to put, put on, place; **se** — à to begin, start; put oneself; put on; — **de côté** to put aside; — **en doute** to suspect; — **en pratique** to apply; — **au point** to focus, adjust, perfect
**meuble** *m.* piece of furniture
**meunier** *m.* miller
**Mi-Carême** *f.* Mid-Lent
**miche** *f.* loaf
**mi-chemin** half way
**midi** *m.* noon; **Midi** *m.* Southern France
**miel** *m.* honey
**mignon** cute
**milieu** *m.* middle; surroundings
**mince** thin; meager
**minutieusement** thoroughly, scrupulously
**mi-temps** half time
**mitraillette** *f.* submachine gun
**moindre** smallest
**moins** less; **à** — unless; **de** — **en** — less and less
**moisson** *f.* harvest
**moissonneuse** *f.* harvester (machine)
**moitié** *f.* half
**monde** *m.* world, people; **un** — **fou** lots of people

**mondial** global; **guerre —e** *f.* world war
**momentanément** temporarily
**montagne** *f.* mountain
**montant** *m.* amount
**monter** to go up; to mount; to put up, set up
**montre** *f.* watch
**se moquer de** to laugh at
**moquerie** *f.* mockery; derision; ridicule
**moqueur** mockingly, mocking
**morceau** *m.* piece
**morceler** to cut up
**morcellement** *m.* cutting up, division
**moto** *f.* motorbike
**mouchard** *m.* informer
**mouiller** to wet
**moulin** *m.* mill; **— à vent** *m.* windmill
**mourir** to die
**mousseux** sparkling
**mouton** *m.* sheep
**moyen** *m.* means, way; (*adj.*) average
**moyenne** *f.* average
**muet** dumb, speechless
**munir** to provide
**mur** *m.* wall
**mûr** ripe, mature
**murier** *m.* mulberry tree
**murmurer** to whisper

## N

**nager** to swim
**naguère** a short time ago, recently
**naissance** *f.* birth
**naître** to be born
**natation** *f.* swimming
**négliger** to neglect
**nettoyage** *m.* cleaning
**nettoyer** to clean
**neuf** new; **remettre à —** to remodel
**nier** to deny
**niveau** *m.* level, standard
**noce** *f.* wedding
**nombreux** numerous, many; **famille nombreuse** *f.* large family
**nommer** to name, appoint
**non plus** neither
**nord** *m.* north
**noter** to grade; to note; to observe
**nouille** *f.* noodle

**nourrir** to feed; to nurse
**nourrisson** *m.* infant
**nourriture** *f.* food
**nouveau** new; **à —** again; **— né** newly-born
**nouvelle** *f.* piece of news
**nouvellement** recently
**nu** naked, bare
**nuance** *f.* shade of meaning; nuance
**nudité** *f.* bareness
**nuisible** harmful

## O

**obéir** to obey
**obsèques** *f. pl.* funeral
**obstruer** to obstruct
**occasion** *f.* opportunity; occasion
**s'occuper de** to busy oneself with; take care of; **— de ses affaires** to mind one's business
**occurrence** *f.* event, occurrence; junction; **en l'—** under the circumstances
**oculiste** *m. and f.* eye doctor
**œil** *m.* eye; **d'un bon —** favorably; **coup d'— ** *m.* glance; **voir d'un mauvais —** to look unfavorably, disapprovingly upon
**œillade** *f.* glance
**œuf** *m.* egg
**officieusement** unofficially; off the record
**offrande** *f.* offering
**oiseau** *m.* bird
**oliveraie** *f.* olive orchard
**olivier** *m.* olive tree
**ombre** *f.* shade
**s'opérer** to take place
**or** *m.* gold; (*conj.*) now
**orage** *m.* storm
**d'ordinaire** usually
**ordonnance** *f.* prescription
**ordures ménagères** *f. pl.* garbage
**oreille** *f.* ear
**organe** *m.* organ, mouthpiece, instrument
**originaire** originating, native
**oser** to dare
**ours** *m.* bear; unmannerly fellow
**outil** *m.* tool
**outre** in addition to; **— mesure** too much; **— que** beside the fact that
**ouvrier** *m.* worker, laborer

## P

**paisiblement** quietly
**palmarès** *m.* prize list, honors list
**palmier** *m.* palm tree
**pancarte** *f.* notice, placard
**panier** *m.* basket
**pantalon** *m.* trousers
**paperasserie** *f.* red tape, bureaucracy
**papillon** *m.* butterfly
**Pâques** *f. pl.* Easter
**paquet** *m.* package
**paraître** to seem, appear
**parcelle** *f.* plot, lot
**par contre** on the other hand
**parcourir** to cover, travel
**pareil** similar
**parents** *m. pl.* father and mother; relatives
**paresse** *f.* laziness
**paresseux** lazy
**parfois** occasionally, at times
**parmi** among, amid; with
**paroissien** *m.* parishioner
**parrain** *m.* godfather
**parsemer** to dot, scatter, strew
**part** *f.* share; **d'autre —** on the other hand; **de la —** from; **d'une — on one hand; quelque —** somewhere
**partager** to share
**partenaire** *m. and f.* partner
**parti** *m.* party; side; **prendre —** to take sides
**partie** *f.* part, section; game; **en — partly**
**à partir de** from
**partout** everywhere
**parvenir** to reach
**pas** *m.* step; threshold
**pastis** *m.* anise-flavored drink
**pâté** *m.* meat pie
**pâtes** *f. pl.* spaghetti, macaroni
**patiemment** patiently
**patrie** *f.* fatherland
**patron** *m.* boss; **saint — m.** patron saint
**paye** *f.* salary, wage
**payer: — comptant** to pay cash
**pays** *m.* country; **gens du —** local people
**paysage** *m.* scenery, landscape
**paysan** *m.* farmer
**pécaïre** *dial.* (Southern France) my! alas!

**peindre** to paint
**peine** *f.* difficulty; trouble; **à — hardly**
**peiner** to toil
**peinture** *f.* paint; painting; picture
**pèlerinage** *m.* pilgrimage
**pelote** *f.* ball (of wool)
**pendant** for; during; **— que** while
**pendre** to hang
**pendule** *f.* clock
**pénible** painful; difficult; hard
**péniblement** painfully, with difficulty
**pension** *f.* boarding house; pension
**pente** *f.* slope
**Pentecôte** *f.* Whit Sunday
**percepteur** *m.* tax collector
**percevoir** to cash, receive (money)
**perle** *f.* pearl
**permis** *m.* license (hunting, driving); authorization
**permettre** to allow, enable, make possible
**personnage** *m.* figure; character
**personne: grande — f.** adult, grown-up
**perte** *f.* loss; waste
**pertinemment** quite well
**peser** to weigh
**petit pois** *m.* pea
**petite vérole** *f.* smallpox
**pétrole** *m.* oil
**pièce** *f.* room; patch; piece; part (machinery); **— de monnaie f.** coin; **— de théâtre f.** play; **tomber en —s** to fall into pieces
**pied** *m.* foot
**piège** *m.* trap
**pierre** *f.* stone
**pieux** pious
**pin** *m.* pine tree
**pique** *m.* spade (cards); **as de — ace of spades**
**piscine** *f.* swimming pool
**pitié** *f.* pity; **faire —** to cause pity
**place** *f.* public square; seat, place; **prendre —** to take one's seat; **avoir de la —** to have room
**placer** to place, invest
**plaie** *f.* plague
**plaindre** to pity; **se —** to complain
**plainte** *f.* complaint
**plaire** to please
**plaisanter** to joke

plaisanterie *f.* joke
plancher *m.* floor
plaque *f.* plate
plat *m.* dish; (*adj.*) flat
plein full, crowded
pleurer to cry, weep
plomb *m.* fuse
plombier *m.* plumber
plume *f.* feather
plus more; de — in addition; en — besides; de — en — more and more
plutôt rather
poêle *m.* stove
poignée *f.* fistful, handful; handle
poignet *m.* wrist
pointe: — spirituelle *f.* witty phrase
pointer to "point" ("boules")
poitrine *f.* chest; breast
poli polite
police *f.* police
politesse *f.* politeness, courtesy
pomme de terre *f.* potato
pompier *m.* fireman
pont *m.* bridge
portail *m.* gate, portal
portatif portable
porter to carry, bear, wear; — secours to lend assistance; — un doigt au chapeau to touch hat with finger
poser to place; to set
poste *m.* set (radio, T.V.); — relais *m.* relay station
postière *f.* postmistress
potin *m.* gossip
potiner to gossip
pouce *m.* inch
poulailler *m.* chicken coop
poule *f.* hen
poulet *m.* chicken
poursuivre to pursue, chase
pourtant yet, however
pourvu provided
pousser to grow; push; utter
poussin *m.* chick
pratique *f.* practice; (*adj.*) practical, applied
pratiquer to practice; catholique pratiquant *m.* churchgoing Catholic
précaire fragile
précipitamment hurriedly
se précipiter to rush
prélever to levy
prendre to take; assume; — place

to take one's seat; — soin to take care; — à son compte to take over (a business, a farm); — conscience to realize; — garde to heed; make sure; — à la lettre to take literally
se préoccuper de to worry about
préparatif *m.* preparation
presbytère *m.* priest's home
se présenter to introduce oneself; — à un examen to take an examination
presque almost
presser to hurry
pression *f.* pressure
prestation *f.* benefit
prêt *m.* loan
prétendre to claim
prêter to lend
prêtre *m.* priest
prévenir to warn
prévoir to foresee
prévu figured, calculated, foreseen, set
prime *f.* bonus; premium
principe *m.* principle
privé: en — privately
printemps *m.* spring
priver to deprive
prix *m.* prize, award, price
profondément deeply, profoundly
projet *m.* plan
projeter to plan
se prolonger to extend; last
propre clean; own
propreté *f.* cleanliness
propriétaire *m. and f.* owner, property owner
propriété *f.* estate; ownership; characteristic
protéger to protect
provençal *m.* a Romance language; (*adj.*) from the province of Provence
provenir to come from
provisoire temporary
provoquer to cause
puis then
puisque since, because
puits *m.* well
punir to punish
punition *f.* punishment
pupitre *m.* desk

**Q**

quant à as to

**quart** *m.* quarter; fourth
**quartier** *m.* section (of town), neighborhood
**quête** *f.* collection; **en — de** in quest of, after; looking for
**queue** *f.* tail; line; **faire la —** to stand in line
**quincaillerie** *f.* hardware store
**quotidien** *m.* daily newspaper; (*adj.*) daily

## R

**raccommodage** *m.* mending
**raccommoder** to mend
**racine** *f.* root
**raconter** to tell
**raffinage** *m.* refining
**se rafraîchir** to get refreshments
**ragoût** *m.* stew
**raisin** *m.* grape
**raisonner** to reason
**ralentir** to slow down
**ramasser** to pick up, collect, gather
**Rameaux** *m. pl.* Palm Sunday
**ramener** to bring back
**randonnée** *f.* long excursion, trip, outing
**rang** *m.* row, rank, line; **se mettre en —** to fall in line
**rapport** *m.* connection, relation
**rapporter** to yield; **se —** to refer; to inform, talk
**rapprocher** to bring closer; **se —** to come closer
**raser** to shave
**rationnement** *m.* rationing
**ratisser** to rake
**rattraper** to catch up
**rayon** *m.* radius
**réalisable** workable
**réaliser** to achieve
**recensement** *m.* census
**recette** *f.* recipe
**recharger** to reload
**réchauffer** to warm up
**recherche** *f.* search
**rechercher** to look for, look up
**récit** *m.* tale
**récitation** *f.* memorization
**récolte** *f.* crop
**récolter** to reap, gather
**reconnaissance** *f.* gratitude
**reconnaître** to recognize, admit
**recouvert** covered
**récréation** *f.* school recess
**recrue** *f.* recruit

**recueilli** collected, silent
**rédiger** to write up
**redire sur** to criticize
**redouter** to dread, fear
**réfléchi** serious
**refroidir** to get cold
**se réfugier** to take refuge, shelter
**refus** *m.* refusal
**regagner** to get back to
**regard** *m.* glance, look
**régime** *m.* diet; rule
**régir** to regulate, govern, rule
**registre** *m.* book
**règle** *f.* rule, regulation
**règlement** *m.* rule, regulation, settlement
**régler** to regulate; to settle
**régner** to reign, rule
**rehausser** to raise, heighten, set off
**reine** *f.* queen
**rejeter** to throw away, discard
**réjouissance** *f.* rejoicing, amusement, distraction
**relevé** *m.* reading
**relier** to link, bind
**religieuse** *f.* nun
**remembrement** *m.* reallocating, regrouping, reassigning
**remorque** *f.* trailer
**remous** *m.* eddy, whirlpool
**remplacer** to replace
**remuant** restless; on the go
**rémunérateur** renumerative, paying, profitable, rewarding
**rencontre** *f.* meeting
**rencontrer** to meet, face
**rendement** *m.* yield, production
**rendre** to render, make; hand in (papers); **— visite** to pay a visit; **se —** to go; **se — compte** to realize
**renforcé** strengthened
**renoncer** to give up
**rénovation** *f.* remodelling
**se renseigner** to inquire, get information
**rentable** yielding a fair profit
**renverser** to upset
**répandre** to spread, scatter
**réparateur** *m.* repairer
**repas** *m.* meal
**répit** *m.* respite
**replier** to fold back
**répliquer** to reply; to talk back
**repassage** *m.* ironing
**reprendre** to resume, start again

**représailles** *f. pl.* reprisals, retaliation

**réputé** well known

**requis** required

**réseau** *m.* network

**résoudre** to solve

**respirer** to breathe

**ressentiment** *m.* resentment

**en dernier ressort** in the last analysis

**ressortir** to stand out; **faire —** to emphasize

**rester** to stay, remain

**restreint** limité

**résumer** to sum up

**retenir** to hold back

**retirer** to draw, get

**retraite** *f.* retirement; pension

**retraité** *m.* retired, pensioned

**se retrouver** to meet; to find oneself again

**réussir** to succeed

**réveiller** to wake up

**se révéler** to appear, come out, reveal oneself

**revenir** to cost, amount to; to be; **— à** to boil down to, amount to

**revenu** *m.* income

**rêve** *m.* dream

**rêver** to dream

**revêtement** *m.* facing, coating

**richesse** *f.* wealth

**rideau** *m.* curtain

**rien** nothing; **n'être — moins que** to be anything but

**rire** to laugh; **pour —** as a joke; mock

**risée** *f.* laughing stock

**rivière** *f.* river

**riz** *m.* rice

**roche** *f.* rock, stone

**rôder** to roam, wander; to loiter

**Rogations** *f. pl.* Rogation days

**roi** *m.* king

**rôle: tenir le —** to play the part; **à tour de —** in turn, one after the other

**romain** Roman

**rompre** to break

**rond** *m.* circle

**roseau** *m.* reed

**rôtir** to roast; **faire —** to roast

**roue** *f.* wheel

**rouler** to run; to roll

**route** *f.* road, highway; **en —** on the way

**routinier** routine

**ruban** *m.* ribbon

**rude** rough

**rugissement** *m.* roar

**rupture** *f.* break

**ruisseau** *m.* gutter; stream

**russe** Russian

## S

**sable** *m.* sand; **marchand de — m.** sandman

**sacerdotal** priestly

**sage** wise; good, quiet

**sain** healthy

**saisir** to grasp

**salade** *f.* lettuce

**salarié** *m.* wage earner

**sale** dirty

**salir** to soil, dirty

**salle** *f.* room; **— de bain** *f.* bathroom

**salon** *m.* parlor, drawing room

**sanglot** *m.* sob

**santé** *f.* health

**sarrau** *m.* blouse

**satisfaire** to satisfy

**saucisse** *f.* sausage

**saucisson** *m.* cold sausage, salami

**sauf** safe; saved; (*prep.*) except, save

**savoir** to know; **à —** to wit, that is to say

**scier** to saw

**séance** *f.* performance, sitting

**sec** dry; **boire —** to drink hard

**secours** *m.* assistance; **porter —** to help, lend assistance

**sein** *m.* breast

**séjour** *m.* stay, sojourn

**selon** according to

**semaine** *f.* week; **— sainte** *f.* Holy Week

**semblable** similar

**faire semblant** to pretend

**sembler** to seem, appear, look

**semelle** *f.* sole

**semer** to sow, plant seed

**semis** *m.* sowing time; seedlings

**sens** *m.* meaning, sense; direction

**sensible** sensitive

**sensiblement** appreciably

**se sentir** to feel

**sérieux: au —** seriously

**serré** tight

**serrement de main** *m.* handshake

serrer **la main**   to shake hands
**se serrer**   to huddle together
**serviette** *f.*   towel; napkin
**servir: — à** to be used for; **se — de** to use, make use of
**seul**   alone
**seulement**   only
**seyant**   befitting, suiting, becoming
**siècle** *m.*   century
**siffler**   to whistle, hiss, boo
**sifflet** *m.*   whistle
**significatif**   meaningful
**signification** *f.*   meaning
**sillon** *m.*   furrow
**sillonner**   to cross, groove, plough, furrow, cut into
**sinueux**   winding
**sinon**   if not, otherwise
**smoking** *m.*   tuxedo
**soie** *f.*   silk
**soigné**   neat
**soigner**   to give medical attention, attend to
**soigneux**   careful
**soin** *m.*   care
**soirée** *f.*   evening; party
**soit . . . soit**   either . . . or
**sol** *m.*   soil
**soleil** *m.*   sun, sunshine
**solennel**   solemn
**solide**   strong; heavy; good; substantial
**sombre**   dark
**somme** *f.*   sum, addition; **en —** after all; **— toute** altogether
**sommeil** *m.*   sleep
**sommet** *m.*   summit, top
**songer**   to dream, think
**sonnerie** *f.*   bell
**sort** *m.*   fate, destiny; chance
**sortie** *f.*   way out, exit; walk, promenade
**sortir**   to go out; let out
**sot**   silly, stupid
**sou** *m.*   penny, cent (1/20 of a franc)
**souci** *m.*   care
**souffler**   to blow
**souffrir**   to suffer
**souhaitable**   desirable
**souhaiter**   to wish
**soulager**   to relieve
**soulever**   to raise, rouse
**se soumettre**   to submit
**soupçon** *m.*   suspicion
**souple**   flexible

**source** *f.*   spring
**sourd**   deaf; **— muet** *m.*   deaf-mute; **faire le —** to play deaf
**souriant**   smiling
**sourire** *m.*   smile
**sourire**   to smile
**sous-jacent**   underlying
**soutenir**   to hold; support
**souvenir** *m.*   memory
**spirituel**   witty; spiritual
**stage** *m.*   period; stage; period of probation
**stand de tir** *m.*   shooting gallery
**stuc** *m.*   stucco
**subir**   to undergo
**subvenir à**   to provide for
**subventionner**   to subsidize
**succéder à**   to come after
**sucer**   to suck
**sucre** *m.*   sugar
**sud** *m.*   south
**suffire**   to suffice, be sufficient
**suffisamment**   sufficiently
**par suite**   consequently
**suivre**   to follow; to attend
**sulfater**   to treat (vines) with copper sulphate
**sulfateuse** *f.*   machine for treating vines with copper sulphate
**suppléant** *m.*   substitute
**supplier**   to beg
**surcharger**   to overload
**par surcroît**   in addition, to boot
**surplomber**   to overhang, overtower, dominate
**surprendre**   to surprise, astonish
**surveillant** *m.*   person (or child) in charge of discipline
**surveiller**   to watch over
**survenir**   to happen suddenly
**susciter**   to cause, rouse, stir up
**suspendre**   to hang
**syndicat** *m.*   union

## T

**tabac** *m.*   tobacco
**tache** *f.*   stain; spot
**tâche** *f.*   task
**tailleur** *m.*   tailor
**tandis que**   whereas, while
**tant**   so much, so many; **— que** as long as
**tante** *f.*   aunt
**tantôt . . . tantôt**   now . . . then
**tapis** *m.*   rug

**tapisserie** *f.* tapestry
**taquiner** to tease
**tarder** to delay, be late
**tardivement** belatedly
**tarte** *f.* pie (pastry)
**tas** *m.* heap; **des — de** many, lots of
**tasse** *f.* cup
**tâtonnement** *m.* groping; trial and error
**teinture** *f.* dye
**tel** such a
**témoin** *m.* witness
**tenant: d'un seul —** in one piece (lands)
**tendresse** *f.* tenderness
**tendre** to have a tendency; to stretch, hang; **se —** to get tense
**tendu** tense
**tenir: — son intérieur** to keep one's home; **— lieu de** to be used as; **se — au courant** to keep informed; **savoir à quoi s'en —** to know where one stands, to know what to believe; **y —** to insist upon it
**tentant** tempting
**tenter** to try, attempt
**tenture** *f.* drape
**terne** dull
**terrain** *m.* soil, terrain, ground, field
**terre** *f.* earth
**tête: en —** ahead
**tiens!** well! what! look!
**tiers** *m.* third
**timbre-poste** *m.* postage stamp
**tir: stand de —** shooting gallery
**tirer** to pull; draw; extract; shoot; **— au sort** to draw lots; **se — d'affaire** to manage; **s'en — to** get away with it, manage, succeed
**tisserand** *m.* weaver
**tissu** *m.* fabric, cloth
**toile** *f.* canvas; **— cirée** *f.* oilcloth
**toit** *m.* roof
**tomber** to fall
**tort** *m.* wrong; **à —** wrongly; **avoir —** to be wrong
**tôt** early
**toucher** to cash
**tour** *m.* walk; ride; round; (*f.*) tower; **faire un —** to take a walk or ride; **faire le — de** to visit; to go around; **— d'horloge** *f.* clock tower

**tournant** *m.* turn, curve
**tourne-disques** *m.* phonograph, turntable
**tournée** *f.* round; (*adj.*) expressed, formulated
**Toussaint** *f.* All Saints' Day
**tousser** to cough
**tout** *m.* whole; **— simplement** very, quite simply; **du — au —** completely; **— de même** anyhow, however, yet; **du —** at all; **— puissant** all powerful
**toute une affaire** quite something
**tout-à-l'égout** *m.* sewer system
**toutefois** yet, however
**train de vie** *m.* standard of living
**traîner** to drag
**traire** to milk
**traite** *f.* milking
**traitement** *m.* salary
**traiter** to treat
**trajet** *m.* distance; **accomplir un —** to cover a certain distance
**tranchée** *f.* trench, ditch
**travailleur** hard-working, industrious
**à travers** through
**traversée** *f.* crossing
**traverser** to cross, go through
**trèfle** *m.* clubs (cards)
**tremper** to dip
**tricher** to cheat
**tricot** *m.* knitted fabric
**tricoter** to knit
**trier** to sort
**troupeau** *m.* flock
**trouver** to find; **— à redire** to find fault
**truffe** *f.* truffle
**tuer** to kill, slaughter
**tuile** *f.* tile
**type** typical

**U**

**unique** only
**usé** worn out
**usine** *f.* factory
**usure** *f.* wear and tear
**utilitaire: voiture —** *f.* commercial vehicle
**utilité** *f.* usefulness

**V**

**vacances** *f. pl.* vacation
**vacant** open
**vache** *f.* cow

**vainqueur** *m.* winner; (*adj.*) victorious

**vaisselle** *f.* dishes

**valet** *m.* jack (cards)

**valeur** *f.* value, worth; **mettre en —** to emphasize, give importance; to develop, enhance the value of

**valoir** to be worth, be as good as; **— mieux** to be better

**variante** *f.* difference

**veille** *f.* eve, day before

**veillée** *f.* social evening

**veiller** to stay awake, sit up at night; to make sure

**vélo** *m.* bicycle

**vendange** *f.* grape gathering

**vendre** to sell

**vénéré** worshipped

**venir** to come; **en — aux mains** to come to blows

**vent** *m.* wind

**vente** *f.* sale

**ventre** *m.* belly, stomach

**vêpres** *f. pl.* vespers

**ver** *m.* worm; **— à soie** *m.* silkworm

**verger** *m.* orchard

**vérité** *f.* truth; **à la —** indeed

**verre** *m.* glass

**vers** towards; about

**versant** *m.* side, slope

**versement** *m.* payment

**verser** to pour; to pay (a sum of money)

**vert-clair** light green

**vestiaire** *m.* cloakroom

**vestige** *m.* remains

**vêtements** *m. pl.* clothes

**vêtir** to dress

**veuf** *m.* widower

**veuve** *f.* widow

**viande** *f.* meat

**vide** empty

**se vider** to empty

**vie** *f.* life; **la — durant** in one's lifetime, while alive

**vieillard** *m.* aged person

**vieillesse** *f.* old age

**vif** quick, intense

**vigne** *f.* vineyard

**vigneron** *m.* wine-grower

**villageois** *m.* villager

**villégiature** *f.* country, seashore or mountain vacation

**vinicole** wine-growing

**visage** *f.* face

**vis-à-vis** in regard to; opposite

**vitesse** *f.* speed

**vivant** lively; alive

**vivement** quickly; strongly

**vocation** *f.* calling, avocation

**voie** *f.* way, road, path

**voile** *m.* veil

**voisin** *m.* neighbor; (*adj.*) neighboring, adjacent, adjoining

**voisinage** *m.* neighborhood

**voiture** *f.* car, automobile; carriage; **— de tourisme** *f.* pleasure car; **— utilitaire** *f.* commercial car

**voix** *f.* voice; vote; **à haute —** aloud

**vol** *m.* theft, robbery

**voler** to steal

**volet** *m.* shutter

**volonté** *f.* will, will power

**volontiers** willingly

**votive: fête — f.** feast in honor of a patron saint

**vouloir: en — à** to have a grudge against

**voulu** required, necessary

**vrai** true, right

**vraiment** really

**vue** *f.* sight

# W

**W.C.** *m. pl.* water closet, toilet

# Y

**yeux** *m. pl.* eyes

# Z

**zèle** *m.* zeal, enthusiasm